DU TAC AU TAC

DU TAC AU TAC

Si elle m'avait donné le livre, & je l'aurais lu.

— Si le livre m'avait été donné,

suj pas

C'est incroyable que les critiques aient détesté cette pièce.
cette pièce ait été détesté par les critiques

Cette pièce

Les garçons détestaient les filles
Les filles étaient détestées des garçons.

Quelqu'un s'est passé

Qu'as-tu acheté?

Qu'est-ce qu'un snob?

Pouvais, je vous aider?

Vas-tu acheter

Avec qui sort-elle

Est-ce que je pourrais vous aider?

Jeannette D. Bragger
The Pennsylvania State
University

Donald B. Rice
Hamline University

Claire Kramsch, Series Editor
Massachusetts Institute of Technology

Heinle & Heinle Publishers, Inc.
Boston, Massachusetts 02116

Cover and interior design: Judy Poe
Interior layouts: Debbie Barnwell
Line art provided by Len Shalansky
Developmental Editor: Janet Dracksdorf
Managing Editor: Traute Marshall
Production editors: Vivian Novo MacDonald
             Kristin Swanson

Manufactured in the United States of America.
ISBN   0-8384-1506-7

10 9 8 7 6 5 4

PREFACE

Most published materials for teaching conversation focus on vocabulary and topical content. In contrast, the activities in this book emphasize interactional strategies for communication: how to initiate, maintain, and close conversations; how to communicate and respond to needs, problems, feelings, plans, opinions; how to behave appropriately in face-to-face interaction. *Du tac au tac* distinguishes itself from other conversational texts through its functional approach: it is organized around the **functions** needed to interact in conversation, not around situational vocabulary or grammatical features of speech. The emphasis is on the **process** of communication, not on the linguistic product.

Du tac au tac is designed for that wide spectrum of courses belonging to the "intermediate" level—the second and third years of college French. It can be used either in combination with other textbooks that have a grammatical and reading emphasis, or singly as the basis for a conversation course. The beginning chapters can be dealt with as early as the third semester; the text as a whole will challenge a fifth- or sixth-semester conversation class. This wide range of potential audience is a result of our particular approach to conversation. While the degree of sophistication will vary from one language level to another, the communicative strategies and functions can remain the same. Students will bring to the various activities the vocabulary and the grammatical structures with which they are already familiar; *Du tac au tac* will systematically encourage them to activate this knowledge in the context of face-to-face interactions based on "real" communicative situations. An additional feature of this constant use of communicative strategies is that it helps students recycle high-frequency phrases in their conversation and build upon these gambits in more complex ways as the book progresses.

Each chapter focuses on a particular communicative "problem": how to meet someone; how to initiate, continue, and end a conversation; how to ask for and give help; how to get and give information; how to express your feelings; how to get and give advice; how to make plans; how to tell stories; how to present and react to opinions; how to discuss. Each chapter also centers on a topic: autobiographical details, personal life, everyday needs, work, current events, personal problems, travel, family, interests, and French views of American life. These topics have been chosen to facilitate the implementation of the various communicative strategies.

Du tac au tac tries to provide the material for an activity-based class, a class in which all students spend almost all of their time speaking French. The great majority of exercises are designed to be done in small groups of two, three, or four students. In the early chapters, the exercises require a limited number of exchanges—introductions, requests for help, and information. As the book progresses, the length and number of utterances increase to include more complex tasks such as interviews, explanations, stories, and discussions. Students are asked to do some role-playing; however, we have tried, wherever possible, to link the exercises to the students' own individual experiences and to ask the students to work in situations that they might well encounter in a French-speaking country. While most of the work must be done in class, *Du tac au tac* includes specific homework assignments aimed at preparing students for the next session's activities. We have tried to organize the book in a lesson-plan format by grouping together activities doable in one class session. This makes *Du tac au tac* flexible enough to be adapted to the rhythm of various classes and calendars.

Two additional features of *Du tac au tac* call for special mention. First, two unique audio-cassettes provide models of natural conversation between native speakers of French. Although recorded in a studio, they are quite unlike most language tapes. Provided only with a situation and a bare outline, the native speakers interacted much in the manner of improvisational theater. The result was a series of conversations that, from the point of view of both speed and choice of vocabulary, have the ring of authentic

French. The first of these tapes accompanies **each copy of the text** and consists of listening comprehension exercises to be done by students as part of the first homework assignment for each chapter. The second tape (for instructors only) includes recorded material to support some class activities as well as a large number of conversations available for additional practice and/or testing.

The second special feature of *Du tac au tac* is the extensive Instructor's Manual. We have tried to create a tool for the teacher that will be truly useful. The Instructor's Manual includes: detailed suggestions for using *Du tac au tac* in a variety of course structures; specific comments on the majority of exercises in each chapter (organizational hints, variations, ways to adapt to very small or very large classes); full transcripts of both the student and instructor tapes; a section on ideas for testing conversational skills; **and** actual materials (situation cards) for use with certain exercises and in testing.

TO THE STUDENT

One of the goals of *Du tac au tac* is to convince you that you know more French than you think. In doing the activities, you should first draw on the words and structures you already know. To the degree that you can "reactivate" this vocabulary and this grammatical knowledge, you will be making great strides in developing your functional French. At the same time, there will be many occasions when you will need new vocabulary. This book does **not** provide vocabulary lists for each chapter. We have omitted this usual feature because the vocabulary that **you** will need is a function of **your** individual experience. You will therefore want to have ready access to a dictionary; in fact, we would recommend that you get in the habit of using **two** dictionaries—a French-English dictionary, to locate the word you need, and an all-French dictionary, to verify the exact meaning and usage of that word.

Obviously, the major part of a conversation course is the work you do in class. However, your success in class can be increased by the preparatory work you do outside the class. *Du tac au tac* provides specific homework assignments—primarily, listening to tapes and collecting vocabulary. To the extent that you take these exercises seriously, your participation in class activities should be that much easier. In addition, we would make the following suggestions:

— listen to the tapes as frequently as possible; the more authentic French you hear, the more likely you are to internalize the rhythm, the intonation, and the phrasing;
— read ahead, so as to anticipate what you will be doing in class and why;
— practice, both what you have already done and what you will be doing, with other students.

Like any skill, speaking French requires constant repetition.

Finally, a word about the student tape. As indicated above, the conversations you will hear represent a spontaneous and authentic brand of French. Unfortunately (at least, for non-native speakers), French is usually spoken very rapidly; in addition, French does not make clear distinctions between words but only between groups of words. The combination of these two features makes French difficult to understand—particularly for English speakers who are used to a slower rhythm and to clear lines of demarcation between words. Consequently, you will probably not understand a good part of each conversation the first time you listen to it. Do not despair! Listen to it several times with the help of the exercises in the book. In most cases, your instructor will give you the opportunity to rework the tapes after you have spent some time on the chapter. The combination of relistening plus getting familiar with some of the expressions will probably help a great deal. If not, you may wish to ask your instructor for the tapescript of a particularly difficult conversation. However, use this aid only to fill in the gaps; then practice listening **without** the tapescript.

In addition, we have replaced the usual glossary found at the back of most books with a special appendix that offers one-line summaries of the tape situations as well as useful vocabulary to aid in your overall comprehension. You may use this appendix as a guide while you are listening or as a reference after listening to test your understanding of each conversation.

TO THE TEACHER

The Instructor's Manual provides a complete overview of the text. In this section of the Preface, we will simply give a short summary of the chapter format.

Each chapter is divided into four major sections (*Entre Nous 1, Entre Nous 2, A l'Epreuve, Et Maintenant*) and four short homework sections (*Chez Vous 1-4*). If you wish to devote full class periods to conversation, each one of the major sections can correspond to one class hour—i.e., one chapter every four days. The major sections are all subdivided; therefore, if you wish to devote only part of each class hour to conversation, the format allows you to break up each section as you desire—i.e., one section every two or three class meetings. This format holds for all but the introductory chapter, which is designed to be done in two full class periods (or four partial sessions). A typical chapter is structured as follows:

Chez Vous 1: "Planning Strategy"—communicative strategies used **in English**; "A l'écoute"— listening comprehension exercises; "Les matières premières"—exercises designed to encourage the building of a vocabulary base.

Entre Nous 1: follow-up exercises on "Les matières premières;" "Pour . . ."—explanations and exercises dealing with some of the conversational strategies and functions for the chapter.

Chez Vous 2: exercises based on conversational strategies.

Entre Nous 2: follow-up exercise on homework; "Pour . . ."—explanations and exercises dealing with additional communicative strategies and functions.

Chez Vous 3: preparation for longer exercise based on strategies.

A l'Epreuve: follow-up exercise on homework; longer and less controlled exercises designed to integrate the various strategies and functions with the students' vocabulary.

Chez Vous 4: preparation for open-ended exercises.

Et Maintenant: follow-up exercise on homework; "Improvisons!"—unprepared exercises; "Allez-y!"—a short exercise that can be recorded or used as a quiz; space for the student to note the most useful expressions learned in the chapter.

In addition, the Instructor's Manual contains situation cards for the chapter. These cards, modelled after the ACTFL Proficiency Exam situations, can be used for extra practice or for testing.

ACKNOWLEDGEMENTS

Du tac au tac is part of a series of three conversation texts in German, French, and Spanish under the general editorship of Claire Kramsch (Massachusetts Institute of Technology). The first to appear was *Reden, Mitreden, Dazwischenreden*, authored by Kramsch and her colleague, Ellen Crocker. Appearing simultaneously with our book is ¡*Imagínate!*, the Spanish counterpart written by Kenneth Chastain of the University of Virginia and Gail Guntermann of Arizona State University. These books all strive to capture the newest ideas from research on the functional syllabus, discourse analysis, receptive skills, and communicative teaching methodology, and to incorporate these elements into an attractive, pedagogically exciting, and useful learning instrument.

We would like to acknowledge gratefully the contributions of the series editor, as well as Renate Schulz, Constance K. Knop, and the following reviewers:

David A. Bedford, Southern Illinois University-Carbondale
Linda Harlow, Ohio State University
David King, Christopher Newport College
Pierre Paul Parent, Purdue University

In addition, we would like to thank the Heinle & Heinle team—Charles Heinle (president and guiding force), Stan Galek (vice president and editor-in-chief), Janet Dracksdorf (developmental editor), and Kris Swanson and Vivian Novo MacDonald (production editors).

Finally, we wish to express our special thanks to Baiba, Mary, and Alexander. Their patience and support are crucial elements of all our projects.

Jeannette D. Bragger
Donald B. Rice

TABLE DES MATIERES

10 COMMENT DISCUTER

« Ce que je ne comprends pas, c'est... » 158

Chapitre 1

COMMENT FAIRE LA CONNAISSANCE DES AUTRES

« *Salut . . .* »

DETAILS
AUTOBIOGRAPHIQUES

LE JEU DE LA CONVERSATION

Conversation is like a ball game. A good player knows how to get the ball rolling, how to catch it, how and in which direction to throw it back, how to keep it within bounds, how to anticipate the other players' moves. These strategies are at least as important as having the right ball and the right equipment.

Maybe you think that you don't have enough vocabulary to participate in a conversation, or that your grammar is too weak. But that shouldn't prevent you from playing the conversation game. You probably know more vocabulary and grammar than you realize and what you really need to learn are the **communication strategies** that will enable you to become a full conversational partner. Communication strategies help native speakers and non-native speakers alike to communicate in real life. In the classroom you cannot do without them when you want to converse with your fellow students or your professor.

If you watch the students who speak a lot, you will observe that they don't always know French better than other students; they do, however, make good use of what they know: they make others talk by asking for clarification or offering interpretations, they build on what others have said, they buy time to think or find alternate ways of saying things, they know how to sound fluent even if they are not. In short, they have strategies to manage conversation. You too can learn the secrets of good conversation management in French.

Before you can enter into an effective conversation with people, you must first become acquainted with them. The following activities will allow you to practice elements of the French language that enable you to introduce yourself to your classmates and your instructor.

ENTRE NOUS: PRESENTONS-NOUS!

A. Salut. . . . You have just arrived in your French class and you don't know the other students and your instructor. Jot down the expressions you need to greet them and to introduce yourself to them. Now introduce yourself to two of your classmates and then to your instructor. Remember that you will probably speak to your classmates in a less formal way than you would to your professor.

Students	Professor
Greeting	Greeting
Bonjour.	*Bonjour, madame*
Introduction	Introduction
Je m'appelle Christine	*Je m'appelle Christine*
How's it going?	How are you?
Comment ça-va?	*Comment allez-vous?*
Autobiographical detail	Autobiographical detail
J'ai 21 ans.	*J'adore la langue français.*

EXPRESSIONS UTILES POUR FAIRE CONNAISSANCE: PREMIERS CONTACTS

MOINS FORMEL

Salut!	Hello!
Comment ça va? (Ça va?)	How's it going?
Je m'appelle...	My name is...

FORMEL

Bonjour, (Madame, Monsieur, Mademoiselle).	Good day, (Ma'am, Sir, Miss)
Comment allez-vous?	How are you?
Je m'appelle...	My name is...

EXPRESSIONS UTILES POUR FAIRE DES PRESENTATIONS!

PRÉSENTATIONS

Monique, Jean. Jean, Monique.	Monique, Jean. Jean, Monique.
Je te (vous) présente...	I'd like to introduce...
Permets-moi de te présenter...	Allow me to introduce...
Permettez-moi de vous présenter...	Allow me to introduce... (formal)
Voici...	Here is...
Voilà...	There is...

RÉPONSES

Salut...	Hello...
Bonjour... (Bonsoir...)	Hello, Good day (Good evening...)
Enchanté(e).	Delighted.
Heureux(euse) de faire votre connaissance.	Happy to make your acquaintance.

B. Je te présente....   Now introduce one of your new acquaintances to another student. Don't forget the autobiographical detail that you know about your classmate. Before you begin, jot down what you'd like to say.

Introduction

Bonjour. Je voudrais ~~te~~ presenter Beth.

Autobiographical detail

Elle est une actrisse.

C. Tu étudies le français depuis longtemps?   Now that you've been introduced to another person in the class, ask that person three questions. Don't forget that you just met, so don't be too personal. Before you begin, jot down the questions.

Question 1: _~~Que~~ Pourquoi portes-tu les vêtements noir?_

Question 2: _Combien d'années est-tu?_

Question 3: _Quelle âge as-tu?_

D. Alors, au revoir, à demain.   Now end the mini-conversation in a polite manner (jot down how you're going to do it).

Alors, ~~soyez~~ bon chance!

D'où viens-tu?

memomem

EXPRESSIONS UTILES POUR TERMINER LA CONVERSATION

Enchanté(e) d'avoir fait ta (votre) connaissance.	Delighted to have met you.
Il faut que je m'en aille.	I must be going.
Pardonnez-moi, je suis en retard.	Pardon me, I'm late.
Au revoir...!	Goodbye...!
Au revoir, à bientôt.	Goodbye, see you soon.
A tout à l'heure.	See you soon.
A demain.	Until tomorrow.
A ce soir.	Until this evening.

A L'ECOUTE

Listen to the exchanges on Segment 1A of your tape two or three times to get used to the rhythm of the conversations. Then listen to the segments again and do the following exercise.

E. Présentations.   Answer the questions according to what you hear on the tape.

<u>FIRST CONVERSATION</u>

1. What kind of an introduction is this?

   a) formal _____

   b) less formal _✓_

2. Which words or expressions support your opinion?

tu, te, comment ça-va

3. What other words could have been used to make the introduction?

faire la connaissance

SECOND CONVERSATION

1. Who is being introduced to Hélène?

_____

2. How does Hélène respond to the introduction?

_____

3. How else could she have responded?

_____

4. What words or expressions indicate that this is a formal introduction?

_____

F. Découvertes. One way to find something out about someone is to ask follow-up questions about a piece of information that has already been supplied. On the form below, put your name in the middle. Then write in the four items of information in each of the corners. Show your form to another student in the class. He/she will then ask follow-up questions to get more details from you. You will then do the same for your conversational partner.

```
?  _____        _____  ?



              nom
           _____



?  _____        _____  ?
```

G. Trouvez quelqu'un qui... Supply some autobiographical details about yourself in the blanks below.

Je m'appelle _____

Ma famille habite _____

Je suis étudiant(e) en _____

Je suis né(e) (lieu) _____

Le week-end, j'aime _____

Le soir, je préfère _____

Je suis (trait caractéristique) _____

Profession Beroep Beruf Profession	*Professeur*
Lieu et date de naissance Plaats en datum van geboorte Geburtsdatum und Geburtsort Place and date of birth	SAN FRANCISCO, CALIFORNIA, le 4 Mai 1956
Domicile Woonplaats Wohnort Residence	Strasbourg, France
Visage Gelaat Gesichtsform Face	Ovale
Yeux Ogen Farbe der Augen Eyes	Bruns
Taille Lengte Grösse Height	1,58M
Signes particuliers Bijzondere kentekens Besondere Kennzeichen Special peculiarities	_____

Signature du titulaire,
Handtekening van de houder.
Unterschrift des Passinhabers.
Signature of bearer

Katherine Deslauriers

AVIS IMPORTANT. - Le Gouvernement Belge n'interviendra pas dans les frais de rapatriement des personnes se rendant à l'étranger.

BELANGRIJK BERICHT. De Belgische Regering zal niet bijdragen in de kosten van repatriering der personen die zich naar het buitenland begeven.

WICHTIGER HINWEIS. Die belgische Regierung wird nicht für die Rückführungskosten von Personen aufkommen, die sich in das Ausland begeben.

IMPORTANT NOTICE. The Belgian Government will not accept responsibility in connection with the repatriation of Belgian nationals travelling abroad.

ENFANTS accompagnant le titulaire
KINDEREN die de houder vergezellen
KINDER in Begleitung des Passinhabers
CHILDREN accompanying bearer

Prénoms Voornamen Vornamen Christian names	**Date de naissance** Datum van geboorte Geburtsdatum Date of birth	**Sexe** Geslacht Geschlecht Sex

Now use the survey below and try to find a different student for each item whose information corresponds to your own. Do this by first introducing yourself, then asking the appropriate question. If the answer corresponds, fill in the student's name in the blank.

Trouvez quelqu'un qui...

1. habite où vous habitez _____

2. a la même spécialisation que vous _____

3. est né(e) dans la même région aux Etats-Unis _____

4. aime faire la même chose le week-end _____

5. préfère faire la même chose le soir _____

6. a le même trait caractéristique que vous _____

H. Ce que j'ai découvert. Now explain to the whole class what you have found out in the preceding activity. For example: « Comme moi, Marie est née dans la région ouest des Etats-Unis. Elle est née en Californie; moi, je suis né(e) en Arizona. »

I. Faisons connaissance. In your small group, engage in a conversation that includes the following elements: greetings, introductions, some autobiographical information with follow-up questions, an appropriate ending to the conversation, and leave-taking.

CHEZ VOUS

J. Ma personne préférée. Think about one of your favorite people (friend, family member, professor, etc.). Then write down ten biographical details you consider most important about this person. You can include where the person lives, some personal characteristics, family situation, or anything else that you feel is important.

Leslie Goddard

1. elle est blonde "
2. elle étudie à Stanford
3. elle est une actrice
4. elle est anglaise
5. elle habite avec sa mère
6. elle a un cheri que je ne l'aime pas.
7. elle à 21 ans
8. elle adore les couleurs rose et bleu
9. elle est toujours sur le temps.
10. elle aime les petits chiens.

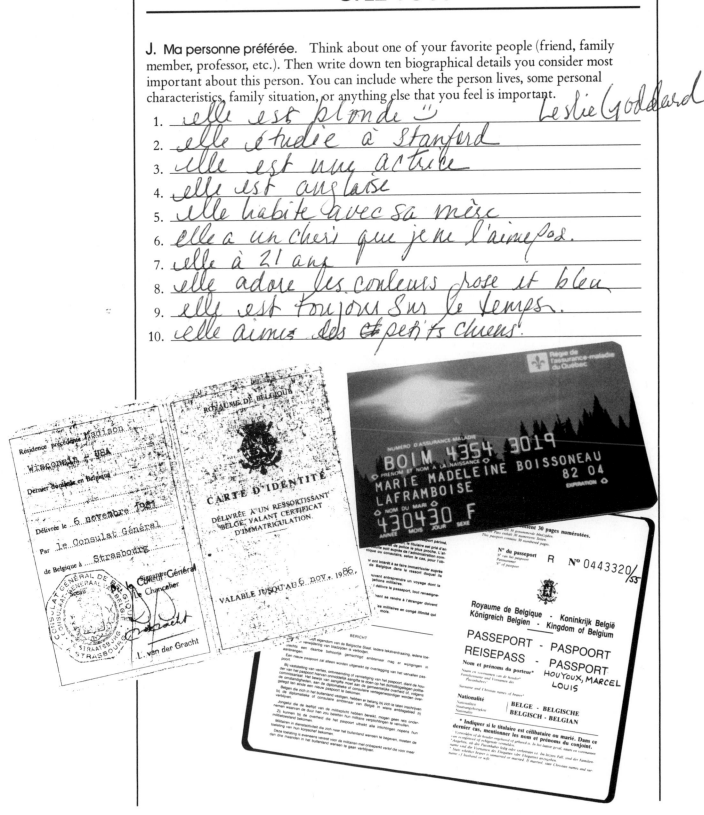

A L'EPREUVE

K. Ma personne préférée *(suite).*   Choose a partner for this activity. Your partner will ask you five questions to try to identify the person you wrote about for homework. If your partner is not successful, then you provide some of the details you think might give the necessary clues for identification. When the identification has been made (brother, sister, mother, best friend, etc.), then it is your turn to question your partner.

A L'ECOUTE

Listen to the exchange on Segment 1B of your tape between Danielle Garnier and Monsieur Girard two or three times to get used to the rhythm of the conversation. Then listen to the segment again and do the following exercise.

L. Un rendez-vous pour le déjeuner.   Answer the questions according to what you hear on the tape.

1. What words/expressions does Danielle use to introduce herself?

2. Where did they first meet?

3. What expression does Monsieur Girard use to find out why Danielle called him?

4. Why did Danielle call him?

5. What is the result of the telephone call?

6. What words do they use to say goodbye to each other?

M. Est-ce que nous nous connaissons?   Your instructor will give you a card with fictitious information about your meeting with someone. Circulate in class and ask your classmates questions until you find the person whom you have already met (who has the same information on his/her card).

MODELES:

— Bonjour...
— Est-ce que nous nous connaissons?
— Oui, je pense.
— Vous n'étiez pas à la soirée chez Paul samedi soir?
— Oui, et on a beaucoup discuté de politique?

— Bonjour...
— Est-ce que nous n'avons pas fait connaissance à la gare l'autre jour?
— Désolé(e). Vous me prenez pour quelqu'un d'autre.
— Ah, pardon. Je me suis trompé.

N. Qui êtes-vous? Find a person in class whom you don't know very well. Introduce yourself and start a conversation. Jot down in advance what you would like to find out about the person. When you have the information you want, give the other person the chance to find some things out about you. End the conversation politely and say goodbye.

_____

_____

_____

_____

memomemomemomemoi

EXPRESSIONS UTILES POUR AIDER A COMMENCER UNE CONVERSATION

Tu es (Vous êtes) d'ici?	Are you from here?
Tu connais (Vous connaissez)... (personne ou endroit)?	Do you know... (person or place)?
Depuis quand (Combien de temps)...?	How long...?
Nous nous connaissons?	Do we know each other?
Nous avons déjà fait connaissance?	Have we met before?
Pardon... est-ce que vous vous souvenez de moi?	Pardon me, but do you remember me?
Est-ce que vous ne travaillez pas chez...?	Don't you work at...?
Est-ce que tu n'es (vous n'êtes) pas dans mon cours de...?	Aren't you in my ... class?
Est-ce qu'on ne s'est pas vu l'autre jour... (endroit)?	Didn't we see each other the other day... (place)?
Il fait un temps magnifique (vraiment épouvantable)!	Great weather (truly dreadful)!

O. Sujets de conversation. Make a list of acceptable topics that you might raise in a conversation with someone you have just met. Introduce yourself to someone new in class and speak to that person for five minutes. Don't forget the social amenities and remember that the other person has also jotted down some topics of conversation. You will therefore also have to respond appropriately.

Topics: _____ _____ _____

_____ _____ _____

P. Qui suis-je? Write your name in the middle of the form on page 10. In each of the four corners, write one adjective that characterizes you. Show your card to a classmate who will ask questions to get more detail about your personality. Do the same for your partner.

? _____   _____ ?

nom

_____

? _____   _____ ?

IMPROVISONS!

When we're first introduced to a person, we generally engage in very superficial conversations. It would not be polite to ask questions that are too personal or to introduce very controversial subjects right away. We therefore have to know how to get along without offending anyone, while at the same time contributing to the conversation game.

Q. Au café.   You're at the café with a friend. Two other friends approach your table. Make the introductions, say something about each person (such as « Il est étudiant en chimie, je partage un appartement avec lui », decide together what you're going to order, call the waiter, and order for everyone. Then, make some polite conversation, pay the check, explain that you have to run, and say goodbye.

« Vous êtes d'ici? »

ALLEZ-Y!

In this chapter you practiced the social amenities needed when you first become acquainted with someone. Through these activities, you will have met most of your new classmates as well as your instructor. You have practiced appropriate greetings (formal and informal), you have engaged in "small talk," and you have learned how to end a conversation politely and how to take leave of a person. The following activity is a summary of all the skills you have practiced.

R. Tu te souviens de moi? You meet a childhood friend whom you have not seen for several years. Say hello, remind him/her who you are, ask for news about friends and family, talk about what you've been doing, and finally end the conversation by asking the friend to have dinner with you sometime. Decide the date, time, and restaurant. Then end the conversation and say goodbye.

vocabulaire Ce que je veux retenir

Chapitre 2

« Eh bien... je... euh... »

LA
VIE
PERSONNELLE

CHEZ VOUS 1

Before you begin the work of each chapter, you will be asked to do two types of preliminary activities that will help you to benefit to the fullest from the chapter content.

In the first of these activities, *Planning Strategy*, you are asked to provide phrases and expressions **in English** that allow you to accomplish particular linguistic tasks. In doing so, you will bring to mind how you function effectively in your own language and how you get things done using English. As you progress through the chapter, you will find French equivalents for your English expressions, and you will get an accurate sense of the importance of communicative strategies in conversation.

For the second activity, you'll be asked to listen to your tape and to answer questions not only about content but about how ideas are communicated, how people make a point, how they interrupt, and how they contribute to the conversation.

PLANNING STRATEGY

A. How do I...?   You're tutoring your French friend in English. Answer your friend's questions by suggesting some useful phrases and expressions. Write your suggestions in English in the spaces provided.

1. What expressions can I use to show that I'm surprised at something that was said?

   Is that true? Are you sure? Really?

2. How can I ask someone for clarification of a point or to give me additional information?

   Can you clarify? Could you be more specific? I don't understand.

3. What expressions will help me to get someone's attention or to interrupt the conversation so that I can say something?

   Wait a minute. Listen to me.

4. What expressions can I use when I need to gain time to think about what I'm going to say next?

   Give me a minute. Hold on.

reagit?

5. How can I get someone to go back to a point that was made earlier in the conversation?

But you said before ... Let's go back to...

A L'ECOUTE

Listen to the exchanges on Segment 2 of your tape two or three times to get used to the rhythm of the conversations. Then listen to the segments again and do the following exercise.

B. Conversations. Answer the questions according to what you hear on Segment 2.

FIRST CONVERSATION

1. What sentences does the first person use to begin the conversation? _Qu'est-ce qui se passe hier? (?)_

2. What happened to her? _elle gagnait une vacance en Chine pour deux._

3. What words and expressions are used by her friend to show her enthusiasm and interest? _Incroyable! Vraiment?_

4. What would the first person like her friend to do? _faire la vacance avec elle._

5. What is one of the questions asked by the friend to get some clarification? _C'est intéressant, ça?_

6. What indication do you have that the friend hasn't made up her mind yet? _J'ai pas quitté mon travaille._

SECOND CONVERSATION

1. What expression marks the beginning of the conversation? _Dit-donc._

2. What does the first person propose to his two friends? _voyez un film_

3. What are some of the words that Nicole uses to try to interrupt? _Écoutez, mais je pense que, attendez_

4. How does she finally get them to listen? _elle dit comme parler avec le diable_

5. Why won't they be going to see the film? _la film partit depuis deux semaines._

Now find four appropriate ways to start a conversation with the following people:

un étranger: _Bonjour. ~~Le trapp~~ Il fait chaud._

questions
invitations
constatations
observations

excuse
une continuations
l'au revoir
une formule
de politesse

une connaissance: *Eo Allo, Comment vas-tu?*

votre meilleur(e) ami(e): *Salut! Comment ça-va?*

votre professeur: *Bonjour Madame Comment allez-vous?*

And four appropriate ways to end a conversation:

un étranger: *Soyez un bon jour. Je suis enchanté d'avoir faire votre connaissance*

une connaissance: *Ciao!*

votre meilleur(e) ami(e): *A demain.*

votre professeur: *Aurevoir, Madame.*

ENTRE NOUS 1: LE JEU DE LA CONVERSATION

The pleasure of a conversation lies in the conversation itself. There are no winners or losers, but there are, however, right or wrong moves. For example, we do not want to offend our listeners unless the offense is intended. We want to be able to interrupt someone without being rude. We need to know how to respond appropriately to what is being said. To be effective conversational partners, we therefore not only need communication strategies but we need to know how to use them accurately.

Good conversation is the result of the cooperation of both speakers and listeners. As a listener you catch the ball; as the next speaker you decide how to throw it back. You use your partner's move to shape your own. Very often, ideas get clarified and trigger new ideas simply by being verbalized. Your aptitude to play the game will depend on your ability to listen and understand what the others say, to explore and verbalize further the ideas of others, and to add to them or contrast them with your own.

CATCHING THE BALL

SHOWING INTEREST

As a listener it is your obligation to show signs of acknowledgement, agreement, surprise, doubt, disbelief, etc. In short, you are expected to react to what is being said. This helps the speaker know that he/she is understood, and serves as encouragement to continue. Keep eye contact with the speaker, show by nodding your head or by other facial expressions that you are interested. In addition, there are a number of expressions that you can use to demonstrate your involvement in the conversation.

SURPRISE: Note the phrases that the second speaker uses to react with surprise to a statement.

— Tu ne croiras jamais ça. Mon père vient de m'offrir une auto pour mon anniversaire!

— **Une auto? Ça alors! C'est vachement bien!**

To show surprise, the speaker first gave a partial repetition of what had been said **(une auto?),** followed by two expressions to reinforce the surprise.

ACKNOWLEDGMENT: The phrases in bold face indicate that the listener understands what was said and therefore gives the speaker encouragement to continue.

— Oui, il m'a annoncé cette heureuse nouvelle hier soir au dîner. Il a commencé en disant qu'il en avait assez de me conduire partout. Moi, j'ai répondu qu'il n'avait qu'à m'offrir une auto.

— **Oui...oui. Et ensuite?**

— Eh ben... voilà... c'est là qu'il m'a fait la surprise.

AGREEMENT: As the conversation continues, the listener indicates that he/she is in agreement with what is being said.

— D'abord il veut que je suive toujours le code de la route, ensuite il insiste que je maintienne la voiture en bon état, et enfin il faut que je paie moi-même les réparations et les assurances.

— **Ça m'étonne pas!** Après tout, c'est maintenant ton auto à toi!

— D'accord, mais ce ne sera tout de même pas facile. Je ne gagne pas beaucoup d'argent.

EXPRESSIONS UTILES POUR REAGIR

LA SURPRISE

Vraiment?	Really?
C'est pas vrai!	No kidding!
Tu plaisantes (Vous plaisantez)!	You're kidding!
Sans blague!	No kidding!
Ça m'étonne (surprend).	That surprises me.
C'est pas croyable!	That's unbelievable!
C'est pas possible!	That's not possible!
Je n'en reviens pas!	I can't get over it!
Ça alors!	What do you know!
Oh là là!	Oh my goodness!
Incroyable!	Unbelievable!
C'est super!	That's great!
C'est vachement bien!	That's great!
C'est formidable!	That's great!
Tiens!	What do you know!
C'est trop drôle!	That's too much, too funny!

LA RECONNAISSANCE

Oui...oui.	Yes (go on).
Je comprends.	I understand.
Et ensuite?	And then?
C'est ça!	That's it! That's right!

L'ACCORD

Ça se comprend.	That's understandable.
Ça m'étonne pas!	That doesn't surprise me!
Absolument!	Absolutely!
C'est vrai!	That's true!
Tu as (Vous avez) raison!	You're right!
C'est tout à fait vrai!	That's absolutely true!
Nous sommes (complètement) d'accord!	We are in (complete) agreement!

C. Réactions.   Read the following pieces of news to your partner. He/she will react using an expression of surprise, acknowledgement, or agreement. When you have finished, change roles. You may not react with the expressions your partner has already used.

1. Mes parents pensent que je suis trop frivole. Je dépense très facilement mon argent.
2. Je n'arrive pas à le croire! Je viens de rater mon examen de chimie, et pourtant j'ai étudié pendant des journées entières.
3. Mon (ma) petit(e) ami(e) refuse de m'accompagner au concert.
4. J'ai vu Simone hier. Elle m'a dit que son frère reviendra de Paris pour les vacances.
5. La semaine dernière j'ai eu un accident de voiture. Maintenant mon père refuse de me laisser conduire.
6. Nos voisins nous ont invités à passer les vacances dans leur chalet en Suisse.

ASKING FOR CLARIFICATION

Since a conversation is dependent on your feedback, you can catch the ball by asking for clarification, repetition, or additional information. This will not only show that you caught the ball but will also help in keeping the ball rolling. The following exchanges demonstrate how a listener can get the speaker to elaborate on a point.

CLARIFICATION:

— Je n'ai vraiment pas de chance! Chaque fois que j'achète quelque chose je n'ai que des problèmes.
— **Qu'est-ce que tu veux dire?**
— C'est très simple! Quand je me permets enfin d'acheter quelque chose de bien, ça se casse le premier jour.
— **Par exemple?**
— Voilà! Hier, je me suis payé un magnétophone que je voulais depuis longtemps. En l'essayant à la maison, j'ai trouvé que le micro ne marche pas. C'est pas la première fois qu'une chose pareille m'arrive.
— **Comment ça se fait?** Tu ne fais pas attention à ce que tu achètes?
— Si, mais je crois que les choses sont tout simplement mal faites aujourd'hui.

REPETITION:

— Je vais laisser tomber mon cours de mathématiques.
— **Comment?**
— J'ai dit que je vais laisser tomber mon cours de math.
— Ah, ce bruit! Je ne t'entends toujours pas. **Qu'est-ce que tu dis?**
— Mon cours de math. Je vais le laisser tomber.

ADDITIONAL INFORMATION:

— Aujourd'hui j'ai passé une journée formidable.
— **Explique un peu.**
— D'abord, j'ai réussi à un examen.
— **A quel examen?**
— A mon examen de français. Ensuite, j'ai déjeuné au restaurant.
— **Avec qui?**
— Avec Michel et Françoise.
— Ah bon. **Comment vont-ils?** On ne les voit plus jamais.
— Ils se sont installés dans un studio très chic et ils semblent heureux ensemble.

— Qu'est-ce que tu as fait de plus?

— J'ai passé l'après-midi à m'acheter des vêtements.

D'AUTRES EXPRESSIONS UTILES POUR REAGIR

LA CLARIFICATION

Comment ça se fait?	How does (did) that happen?
Comment se fait-il que...?	How does (did) it happen that...?
Qu'est-ce que tu veux (vous voulez) dire?	What do you mean?
Ça veut dire quoi, exactement?	What does that mean exactly?
Explique un peu.	Explain.
Par exemple?	For example?
Je ne comprends pas.	I don't understand.

LA RÉPÉTITION

Comment?	Excuse me? (I didn't hear you.)
Pardon?	Excuse me? (I didn't hear you.)
Qu'est-ce que tu dis (vous dites)?	What did you say?
Tu peux (Vous pouvez) répéter, s'il te (vous) plaît?	Could you repeat that, please?
Quoi? (Hein?)	What? (Very familiar)

RENSEIGNEMENTS SUPPLÉMENTAIRES

Information questions: **combien, où, comment, quand, pourquoi, qui, quel, etc.**

D. Je ne comprends pas. As you read each of the following statements to your partner, he/she will first ask for clarification, then will ask you to repeat, and finally will ask you for more information. You should respond appropriately to the inquiry. When you are done, reverse roles. You may not use the same expressions that your partner has already used.

1. Je ne comprends pas du tout mes parents. Ils ne sont vraiment pas raisonnables.
2. J'ai passé une journée absolument épouvantable.
3. Zut! Je n'ai toujours pas de travail pour cet été.
4. Demain sera une journée très spéciale pour moi.
5. Je n'ai pas le temps de bavarder avec toi.

HELPING THE SPEAKER

In conversations between two speakers, the listener frequently helps the speaker complete a sentence if he/she is searching for the right phrase or word. This should not be seen as an excuse to take over the conversation or to keep the speaker from completing a thought. It is rather a way to be helpful and to keep the conversation moving.

— Je n'ai pas du tout aimé ce film. Il était... comment dire...

— **... trop violent?**

— C'est ça. Beaucoup trop violent. Et en plus, les personnages ne sont pas bien... euh...

— ... développés?

— Exactement. Tu es d'accord qu'on aurait mieux fait...

— **... d'aller au concert avec Jean?**

— Justement, nous avons fait un très mauvais choix.

E. Euh... euh.   Your partner is having a lot of problems finishing his/her sentences and ideas. As he/she makes the following partial statements to you, help out by supplying the words. When you have finished, change roles.

1. Qu'est-ce que tu penses... euh...
2. Ce matin je ne suis pas en forme. J'ai passé toute la nuit à...
3. Comment? Il n'est pas encore arrivé? C'est...
4. Ce restaurant? Il n'est pas... comment dire...
5. Qu'est-ce que tu fais ce soir? Tu veux...euh...
6. Jean-Jacques ne changera jamais. Il est vraiment...

F. Tu m'écoutes?   Besides this French class, you have another very interesting class. Try to convince your partner to take the class with you. Before you begin, jot down the main arguments you're going to use (characteristics of the professor, subject matter, materials, something interesting that happened, etc.). Your partner will show his/her interest by asking for clarification or repetition, by asking for more information, and by supplying words or phrases to help you out. When you have completed your argument, reverse roles.

_____

_____   _____

_____

GETTING TO KNOW EACH OTHER BETTER

In order to get to know others better, we don't necessarily restrict conversations to very personal topics. There is something to learn about someone in almost any conversation, through any topic. For example, when discussing something that happened, or when giving an opinion, we reveal our preferences, our prejudices, or our relationships with others. In addition, we do, of course, eventually need more information about the person's background, family situation, etc. if we are truly going to know him/her better. You will begin the following activities with non-personal topics; then you will engage in conversations that reveal more personal aspects of your classmates and of yourself.

G. Discutons ensemble!   Two of you are telling something to the third person in your

Elles se connaissent bien?

group. One of you starts, the second helps out, the third person reacts, asks for clarification, etc. Remember to use an appropriate way to start and end the conversation.

Suggested Topics: Your reaction to a film, book, or video.
Your reactions to a professor.
Something that happened yesterday or last weekend.
Plans you have for the next vacation.

H. Qu'est-ce que je vais faire? You are upset about something and you find it difficult to put your problem into words. As you give a very hesitant explanation of the problem, your partner will help you out, and will ask for clarification and additional information. It is finally also up to your partner to offer an explanation or advice. When you have finished, reverse roles.

Possible Problems: Your best friend didn't invite you to a party.
You didn't do well on a homework assignment.
Your roommate is not talking to you.
You lost your handbag or knapsack with your wallet
and keys in it.

I. Mon autobiographie. Provide the autobiographical information asked for in the following form:

AUTOBIOGRAPHIE

Nom de famille _O'Brien_

Prénom _Christine_

Domicile _~~Box 85~~ Rm 241 Bowman Hall_
Cornell College, Mt. Vernon, Iowa 52314

Téléphone _319-895-5509_

Date de Naissance _le 18 juin, 1969_

Lieu de Naissance _Chicago, Illinois_

Profession _étudiante_

Etat civil (célibataire, marié(e), veuf, veuve) _célibataire_

Nombre d'enfants _0_

Age des enfants _____

Now go question another student in the class and fill in the information you receive on the blank form on page 22. Example: For "domicile," ask the student: « Où est-ce que tu habites? ». When you have been given each piece of information you show interest by asking for clarification, repetition or additional information. You must ask at least two follow-up questions for each item.

Nom & prénom : Matt Alles
Domicile : 310 Tarr Hall Greely, Co. 20 yr?
Téléphone : 319-895-5620
Date de naissance & lieu : le 29 d'~~aou~~ août, 1970 Greely
Profession : étudiant
État civil : célibataire,
No. d'enfants & âge : non!

célibataire, marié, veuf, etc.

quelque chose ≠ rien
quelqu'un ≠ personne

Dossier - échanger des nouvelles

Now that you have interviewed another student, take the information and go tell a third party about what you have found out.

Finally, this third party goes back to the interviewee, explains what was said, and the interviewee corrects any false information.

CHEZ VOUS 2

J. Un enregistrement. Get together with a student in the class and record a short conversation. One of you explains something to the other. You can choose from among any of the topics that have already been used in this chapter (something that happened yesterday, your plans for the next vacation, your roommate is not talking to you, etc.), or you may select a topic of your own. While one of you does the explaining, the other one must use as many expressions as seem natural to ask for clarification, repetition, additional information, or to provide help. Do everything you can to make the conversation progress smoothly. Your instructor will collect the cassette and return it with comments.

ENTRE NOUS 2:
LE JEU DE LA CONVERSATION *(SUITE)*

THROWING THE BALL

To be an effective conversational partner, it is not enough to catch the ball. It is just as important to know how to throw the ball back so that the conversation remains interactive rather than turning into a monologue. In order to do this, you need to know some of the strategies that will make you an active conversational partner.

TAKING THE FLOOR

If you want to take the floor, just look at the previous speaker and use a starter to attract his/her attention and, possibly, to interrupt. To do this effectively, you must first learn to be a very careful listener, because very often what is being said will serve as your springboard into the conversation. Your interruption will seem perfectly normal and acceptable if what you say is closely tied to the words of the previous speaker. The following dialogue illustrates some of the effective strategies for taking the floor.

— Tu connais Maurice Blanchet?

— Oui, bien sûr. Nos parents sont voisins depuis des années. Pourquoi?

— Eh bien. Il lui est arrivé quelque chose de très bizarre l'autre jour. Il était à son cours de philosophie en train de passer un examen. Après un certain moment il s'est aperçu que le garçon à côté de lui regardait sa copie. Puisque Maurice avait peur que le prof ne l'accuse, lui, de tricher, il a essayé de cacher sa feuille. Mais de temps en temps il ne pouvait pas résister et il jetait des coups d'oeil sur son voisin pour voir s'il continuait à tricher. A ce moment-même le prof l'a vu, et voilà le pauvre Maurice, accusé de copier sur son voisin. Le prof...

— **Mais, c'est pas possible!**

— Si, si. Imagine-toi la situation. Maurice qui ne peut pas se défendre contre l'accusation...

— **Mais, écoute,** est-ce que Maurice n'a rien dit?

— Bien sûr. Mais qui allait croire son histoire? Les autres étudiants...

— **Justement,** il y avait tout de même d'autres dans ce cours. Est-ce que personne n'a vu ce qui s'est passé?

— Penses-tu! Ils ne faisaient pas attention. Et...

— **D'accord, mais** le prof connaît bien Maurice. Qu'est-ce qui est arrivé finalement?

— Maurice a raté l'examen. Il n'y avait rien à faire. L'autre étudiant, celui qui a triché,...

— **Moi, ce que je pense, c'est qu'**au moins l'autre aurait dû rater son examen aussi. C'est vraiment pas juste ça et moi, j'aurais...

— **Mais non.** A sa place, tu n'aurais pas mieux fait que Maurice.

memememomemomemomen

EXPRESSIONS UTILES POUR ENTRER DANS UNE CONVERSATION

D'accord, mais...	Okay, but...
Mais tu sais (vous savez)...	But you know...
Un instant...	Hold it a minute... (informal)
Justement... (Exactement...)	Exactly...
Mais non...	Not at all...
N'oubliez pas que...	Don't forget that...
Je sais ce que tu veux (vous voulez) dire...	I know what you mean...
Attends (Attendez) un peu...	Wait a minute...
Je comprends bien, mais...	I understand, but...
Mais...	But...
Oui, mais...	Yes, but...
Ecoute,... (Ecoutez,...)	Listen...
Moi, ce que je pense c'est que...	What I think is that...
Moi, je pense que...	I think that...
Je peux dire un mot?...	Can I say something?... (impatient)
J'ai quelque chose à dire...	I have something to say... (impatient)
Laisse-moi (Laissez-moi) parler...	Let me talk... (impatient)
Tu (Vous) ne me laisses (laissez) pas placer un mot!	You don't let me say one word!

Handwritten margin notes:

parler à + un personne des loisirs
de + sujet
dire à + personne, Hen
de + verbe

La bon / cour
des questions

raconter une histoire
to narrate or tell a story

K. Obsessions. Each member of the group picks a topic he/she is going to be obsessive about. One student starts the ball rolling by saying something related to the obsession. It is the task of the other members of the group to listen and find a way of interrupting to talk about their own obsessions. In order to do so, each should use the strategies for taking the floor that are listed above.

Obsessions: food, money, leisure time, the opposite sex, work, family, clothes, sports, movies, etc.

GAINING TIME

If you need time to think, show the others that you have not finished your thought and that you will continue. To do this, you need to make use of conversational fillers (hesitation markers) that have no meaning in themselves, other than to indicate that you are stalling for time. Very often, you may need to gain time in the middle of one of your sentences. This is when a conversational filler will come in handy.

> — Qu'est-ce que tu as fait là?
> — **Eh bien,** j'ai essayé d'ouvrir cette bouteille... **euh...** et je n'ai pas fait attention. Alors... euh...
> — Regarde-moi ça. Tu ne pourrais pas faire attention, **hein?**
> — **Ben,** oui. Mais, **tu sais,** c'était un accident!
> — **Bon alors... Voyons...** essaie de nettoyer tout ça. Et surtout ne te coupe pas! Ce serait vraiment le comble! Ah, ces enfants! Toujours quelque chose!

EXPRESSIONS UTILES POUR GAGNER DU TEMPS

Ben...	Well:...
Pour moi...	As for me...
Tu vois (Vous voyez)...	You see...
Euh...	Umm...
Eh bien, voilà...	Oh well, that is...
Eh bien...	Oh well...
Bon alors...	Well then...
Voyons...	Let's see...
... ensuite...	... next...
... et en tout cas...	... in any case...
... et...	... and...
... euh...	... umm...
... alors...	... then...
... donc...	... therefore...
... mais...	... but...
... voyons...	... let's see...
... euh, comment dire...	... umm, how can I say...
... enfin...	... finally...
... quoi?	... what?
... tu sais (vous savez)?	... you know?
... tu vois (vous voyez)?	... you see?
... n'est-ce pas?	... isn't that so?
... tu (vous) ne penses (pensez) pas?	... don't you think?

L. Parler sans arrêt. In this activity, your goal is to talk to your partner for one minute without saying anything. Consult the list of filler expressions and plug them in whenever you can. Talk as quickly as you can without thinking of any particular topic. To get you going, start with « Hier... euh... » and go on to describe your routine yesterday. But remember, you want to say as little of any concrete nature as possible. Your partner will time you and will check off all of the filler expressions you used.

THROWING THE BALL BACK

When you have taken your turn in a conversation, throw the ball back to the listener by adding a word or expression that requires a response.

> — Jeanne veut déménager. **Tu es d'accord, toi?**
> — Moi, je ne sais pas. J'aime bien habiter ici. **Qu'est-ce que tu en penses?**

> — C'était vraiment méchant. **Tu ne trouves pas?**
> — Absolument!

> — J'ai beaucoup à faire ce soir. **Et toi?**
> — Moi, je vais aller au cinéma.

> — Elle a eu de la chance. **Tu ne crois pas?**
> — Oui, elle aurait pu se faire mal.

Beside these expressions, you can also throw the ball back by simply adding an information question pertaining to the topic being discussed.

> — Ce week-end, moi, je vais me reposer. **Qu'est-ce que tu vas faire, toi?**
> — Moi, je vais réparer ma voiture.

M. Et toi? Throw the ball back to your partner by first making a statement about one of the following topics and adding an expression or question that forces him/her to respond.

un film / un livre / un cours / un professeur / un(e) ami(e) / un dîner / un restaurant

> MODELE: — C'était un très bon film. Tu ne trouves pas?
> — Oui, je l'ai beaucoup aimé.

N. Des proverbes. Before you begin your small group discussion of the following proverbs, each member of the group chooses three words or expressions from the previously-mentioned strategies. Then, each person makes a point of using the selected strategies in discussing the topics that follow.

Taking the floor: _____

_____

_____

Gaining time: _____

_____

_____

Throwing the _____

ball back: _____

_____

Proverbes: L'habit ne fait pas le moine.
Dis-moi qui tu fréquentes, je te dirai qui tu es.
L'argent ne fait pas le bonheur.
Le temps, c'est de l'argent.
Vouloir, c'est pouvoir.

BACKTRACKING

If the conversation has moved beyond the point where you had something to say, it is your right to return to that point, even if it seems no longer relevant. The following examples demonstrate how you can accomplish this task.

> — ... et enfin je lui ai dit que je ne pouvais pas sortir avec lui.
> — Mais **tu disais tout à l'heure** que tu aimes bien ce garçon.
> — Eh bien, oui, je sais ce que j'ai dit. Mais je ne veux pas passer toutes mes soirées à regarder ses diapositives d'Europe!
>
> — ... maintenant que je suis un peu plus âgé, je m'entends beaucoup mieux avec mes parents.
> — **Ce que tu disais me fait penser à** ma propre enfance. Moi, aussi j'avais des difficultés avec mes parents....

memome

EXPRESSIONS UTILES POUR RECULER DANS UNE CONVERSATION	
Revenons à nos moutons.	Let's get back to the point.
A propos de...	About...
Tu disais (Vous disiez) tout à l'heure que...	A minute ago, you said that...
Pour revenir au sujet de tout à l'heure...	To come back to the subject from a minute ago...
Ce que tu disais (vous disiez) me fait penser à...	What you said reminds me of...

O. Revenons à nos moutons. As your partner makes each of the following statements to you, use one of the backtracking strategies to get back to the topic indicated in parentheses.

> MODELE: — ... et je pense que c'est ridicule! (frère)
>
> — A propos de ton frère, est-ce qu'il est toujours en France?
> or
> — A propos de ton frère... je l'ai vu hier.

1. Je ne suis vraiment pas content(e) de mes progrès dans ce cours! (professeur)
2. ... et je suis convaincu(e) qu'elle a tort. (voyage au Canada)
3. Il s'est présenté, mais j'ai oublié son nom. (soirée de Chantal)
4. J'ai cours dans cinq minutes. Il faut que je m'en aille. (week-end prochain)
5. ... mais il n'a jamais répondu à ma lettre. (Isabelle)

PARAPHRASING

How often has it happened to you that you stopped talking because there was a word you didn't know? Even if it only happens every once in a while, this is one of the most common ways for conversation to break down when you are learning a foreign language. What you have to realize is that you don't need to know every single, precise word to get a message across. Paraphrasing is a way for you to work around the unknown word and to indicate that you'd like help from someone else. While you are paraphrasing, you're keeping the ball rolling so that conversation doesn't come to a complete stop. Paraphrasing what someone else has said is also an effective way to gain time while you're trying to formulate an idea or a response.

Paraphrasing when you don't know a word:

> (You are in a hotel, you want two connecting rooms but you don't know the word for "connecting.")
>
> — Je voudrais deux chambres... euh... **avec une porte qu'on peut ouvrir entre** les deux chambres.
> — Ah, vous voulez deux chambres **communicantes.**
> (If you listened carefully, you will remember the word the next time you need it.)
>
> (You want to tell your friends that you bought yourself contact lenses, but you don't know the word for "contact lenses.")
>
> — Je ne vais plus porter de lunettes. Je me suis acheté... comment dire... **des trucs en verre qu'on met directement sur les yeux.**
> — Tu veux dire des **verres de contact (lentilles de contact)?**
> — Oui, des verres de contact.

(The words **truc, machin,** and **chose** all mean "thing" and are very useful when you cannot think of the precise word to designate the object you're referring to.)

Paraphrasing to gain time to formulate an idea or a response:

> — Tu peux m'aider avec les réparations de mon auto ce week-end?
> — **Si je comprends bien, tu veux que je passe mon week-end à réparer ton auto** plutôt que de sortir avec Janine. Ça dépend. Je t'aiderai si tu me la prêtes pour aller à New York le week-end prochain.
>
> — Je suis tellement occupée que je n'ai même plus le temps de m'amuser.
> — **Je suppose que tu veux dire que tu as trop de travail** pour m'accompagner.
>
> — Qu'est-ce que tu penses du film?
> — **Du film que nous avons vu hier soir?** Il était pas mal.

P. Comment dit-on... ? Pretend that you don't know the French words for the following English words. First, write out a paraphrase, then share the paraphrase with your group. When all of you have contributed your paraphrase, decide which one is the best and write it in the blank below yours. Finally, if no one in your group knows the exact word, look it up in the dictionary or ask your instructor.

1. **stars**
   my paraphrase _les trucs blancs dans le ciel_
   best paraphrase _les choses comme le soleil_
   exact word _les étoiles_

2. **a pet**
   my paraphrase _une animale domestique_
   best paraphrase _une animal qui habite dans la maison_
   exact word _une animal familier_

3. **computer**
   my paraphrase _une grande calculatrice_
   best paraphrase _____

exact word _ordinateur_

4. **socks**

my paraphrase _____

best paraphrase _les gants pour les pieds_

exact word _les chaussettes_

5. **gift wrapped**

my paraphrase _____

best paraphrase _____

exact word _ouballe (sp?)_

...n noisette, très gentille, gaie, dé-
...e connaître un ami doux et soigné
dans ses âges pour combler sa solitude.
Réf. 7301 - J.H. 24 ans, de bonne éducation, intelligent, souriant, sentimental,
souhaite connaître J.F. douce et sérieuse,
pour envisager avenir à deux : but
sérieux.

Réf. 7303 - Célib. 26 ans, désormais seul,
très doux, très sentimental, ouvert à tout,
le coeur plein d'affection et de tendresse
serait heureux de rencontrer une J.F.
sincère et compréhensive, dans le but
d'une union durable si affinités.

Réf. 7305 - Célib. 26 ans, brun, discret,
sérieux, prof. indépendante, maison, voiture, sportif, envisage rencontre avec
J.F. pour fréquentations sérieuses.

Réf. 7307 - Célib. 26 ans, employé d'administration, brun aux yeux bleus, ouvert
à tout, assez mûr, pour fonder un foyer et
créer une famille recherche J.F. sincère
et compréhensive.

Réf. 7309 - 26 ans, célib. très beau garçon, blond aux yeux bleus, employé de
bureau, moderne, ouvert à tout, franc,
désire faire la connaissance d'une J.F.
pour faire des projets d'avenir et savourer
le bonheur à deux.

Réf. 7311 - 30 ans, commerçant, brun,
ambitieux, sérieux, distractions, musique,
sport, nature, contacts humains, possède
maison, voiture, recherche J.F. 2.
ans, do...

...réable,
...eux divorce,
compagnon de 55
...ivre à deux.

...veuve, 50 ans, femme d'inté-
...ne, ordonnée, agréable, aimant
...ortir un peu, recherche Mr 49/58
...entil et sobre.

...**328** - Commerçante 53 ans, veuve,
...enfant à charge, soignée, réservée,
...t besoin d'affection et de compré-
...ion serait heureuse avec un homme
...tueux, sincère, elle irait chez lui.

...**7330** - Veuve, 58 ans, agricultrice,
...tée, simple et honnête aime son in-
...ur, mais aussi sortir, elle recherche
...compagnon même plus âgé qu'elle
...our faire connaissance en premier
...mps.

...**M. 7332** - JOSETTE, la cinquantaine, je
...ouhaite rencontrer un ami pour envisa-
...r un avenir sérieux et solide, je suis
...re à tous moments, blonde aux yeux
... : très féminine, demandez des inf. à
...de CONTACT.

Veuve, 59 ans, souriante, fa-
...ntale, aime sortir se
...-iardi-

sensible, il a divorce p...
vous en parlera ; passionné par la n.
nature, une J.F. ou maman affectue...
de 27/30 ans, serait la bienvenue.

Réf. 7319 - 32 ans, div. à son profit, bonne
profession, facile à vivre, doux et affec-
tueux, il aime les sorties, la musique, son
seul désir : refaire sa vie avec une jeune
maman, les enfants seront aimés.

Réf. 7321 - Fonctionnaire 42 ans, div.
doux, propre, sérieux, aime bricoler, s'occuper, recherche but sérieux, jeune compagne aimant la vie de famille pour venir
habiter chez lui.

Réf. 7323 - Veuf, 49 ans, seul, sans ses
enfants, de caractère jeune ne supporte
plus la solitude, il souhaite connaître une
dame dans ses âges, pour but vie com-
mune après la suite si entente.

Réf. 7325 - C'est un Mr de 1.70m, div. né
en 36, bonne situation commerciale, ouvert à tout, désormais trop seul, il recherche une dame sérieuse pour vivre à
deux.

Réf. 7327 - Mr 50 ans, célib. tolérant, af-
fectueux, sentimental, bonne professio
10 000 F par mois, généreux, recherch...
J.F. 25/38 ans, gentille et compréhensive.
L'affection, le confort et le bonheur
sont réservés. Demandez d...
tions à Claude CONT...

Réf. 7329 - Ve...

CHEZ VOUS 3

Q. Moi! Fill in the following form about yourself. Be as truthful as possible about your
major personality traits, your interests, your leisure-time activities, your aspirations. Don't
write out full sentences.

Qualités (adjectifs): _____ _____

_____ _____

Faiblesses (adjectifs): _____ _____

_____ _____

Intérêts: _____ _____

Loisirs: _____   _____
         _____   _____
         _____   _____

Aspirations: _____   _____
             _____   _____
             _____   _____

A L'EPREUVE

The next two activities are designed for you to practice the strategies you have learned in specific contexts. As you progress through the activities you should be using four of the strategies at least once and conversational fillers as regularly as possible. Strategies: showing interest, asking for clarification, helping the speaker, taking the floor, gaining time, throwing the ball back, backtracking, paraphrasing.

R. Moi! *(suite)* Within about five minutes, find a classmate who has many of the same characteristics as you have indicated on the above form. Don't show anyone what you have written, but rather, get the information by asking appropriate questions. Since it is unlikely that you will find an exact match, aim for the match of a few items. Then spend another five minutes discussing what is different about the two of you.

S. Un étranger. You are sitting next to a stranger on an airplane. Open a conversation, find out as much as possible about the person, steer the conversation to a topic of interest to you. End the conversation before you deplane. Now go to someone else in the class (the person meeting you at the plane) and talk about the person you talked to on the plane.

CHEZ VOUS 4

T. Les signes du zodiaque. Read the characteristics of the 12 signs of the zodiac. Then look at yours in particular and choose the characteristics from the list that seem to fit you best. Finally, talk to a friend or family member, find out his/her sign, read the description of the sign and ask questions to find out the characteristics that fit him/her best.

Bélier (22 mars - 20 avril): aventureux, courageux, énergique, aime la liberté, impulsif, égoïste, impatient, enthousiaste, généreux, vif, déteste la routine, bon sens de l'humour, sait prendre des décisions, changeant, aime le défi, innovateur, aime les sports violents.

Taureau (le 21 avril - 21 mai): sens pratique, responsable, patient, aime le luxe et la bonne cuisine, persistant, grande détermination, fidèle, possessif, paresseux, manque d'originalité, adore la routine, tient à ses opinions, manque de flexibilité, têtu, aime la sécurité de la famille, jaloux, charmant, lent, sait gagner de l'argent.

Gémeaux (le 22 mai - 22 juin): s'adapte facilement, intellectuel, bon sens de l'humour, actif, aime parler, superficiel, aime le commérage, change d'avis facilement, sait raisonner, fait plusieurs choses à la fois, cherche la variété, s'ennuie facilement, sensible, un peu froid.

Cancer (le 23 juin - 23 juillet): aimable, sensible, beaucoup d'imagination, instinct maternel ou paternel très développé, patriote, protecteur, change d'humeur facilement, n'aime pas la critique, positif dans son attitude, passe d'un extrême à l'autre dans ses sentiments et attitudes, se fait des soucis pour un rien, bonne mémoire.

Lion (le 24 juillet - 23 août): généreux, créateur, enthousiaste, sait organiser les autres, intolérant, dogmatique, adore le pouvoir, snob, veut être le leader, beaucoup de charme, bonne humeur, optimiste, sensible et facilement blessé, veut être au centre des activités.

Vierge (le 24 août - 23 septembre): adore analyser les choses, modeste, propre, bien organisé, se fait beaucoup de soucis, critique facilement les autres, conservateur, sens pratique, travailleur, cherche à aider les autres, ne sait pas se détendre, s'arrête à tous les détails, aime surtout l'ordre et la propreté.

Balance (le 24 septembre - 23 octobre): charmant, aime l'harmonie et le confort, détendu, diplomate, idéaliste, raffiné, indécis, frivole, instable, se laisse facilement influencer, déteste les disputes, paresseux, sens de la justice, optimiste, n'aime pas être seul.

Scorpion (le 24 octobre - 22 novembre): puissant dans ses sentiments et émotions, sait ce qu'il veut, beaucoup d'imagination, subtil, jaloux, obstiné, se révèle avec difficulté, se méfie des autres, énergique, quelque peu masochiste, dynamique, fascinant, mystérieux, intuitif.

Sagittaire (le 23 novembre - 22 décembre): jovial, optimiste, tolérant, s'adapte facilement, philosophe, sincère, franc, honnête, tend à exagérer, extrémiste, irresponsable, capricieux, intellectuel, rejette les conventions, grand besoin de liberté, sait faire des projets.

Capricorne (le 23 décembre - 19 janvier): ambitieux, prudent, sens de l'humour, discipliné, patient, grande détermination, rigide dans ses opinions, pessimiste, conservateur, un peu avare, quelquefois méchant, sérieux, facilement déprimé, timide, se sent souvent seul.

Verseau (le 20 janvier - 19 février): indépendant, aimable, bonne volonté, original, innovateur, fidèle, idéaliste, intellectuel, altruiste, tend à la révolte, libéral, excentrique, esprit de contradiction, manque de tact, garde ses distances, sait faire des sacrifices pour garder sa liberté.

Poissons (le 20 février - 21 mars): humble, agit selon ses émotions, sensible, s'adapte facilement, se laisse facilement impressionner, aimable, vague, aime les secrets, aucun sens pratique, manque de volonté, indécis, peu adapté à la réalité, déteste la routine et la discipline, charmant, sentimental.

As you fill in your sign and corresponding characteristics, remember to make adjectives agree in gender (feminine or masculine).

Mon signe _Gémeaux_

Mes traits caractéristiques:

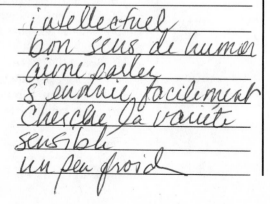

intellectuel
bon sens de humour
aime parler
s'ennuie facilement
cherche la variété
sensible
un peu froid

Le signe de mon ami(e): _Poissons_

Ses traits caractéristiques:

sentimental
peu adapté à la réalité
aimable
vague
charmant
aime les secrets

ET MAINTENANT

U. Les signes du zodiaque *(suite).* One student organizes his/her classmates according to their astrological signs. If only one person is of a particular sign, then divide in groups representing a variety of signs. Appoint a group leader for each group. The members of the group then find out what they have in common with each other. The group leader does not participate in the discussion, but rather sits at the edge of the group, takes notes, and then reports back to the class about what the members of eh group have in common.

V. Les signes du zodiaque *(suite).* Find a classmate who is the same sign as the friend (family member) you described in your homework. Ask your classmate questions to find out how compatible he/she would be with your friend or family member.

IMPROVISONS!

W. Nos amis. Engage in a conversation with your partner to find out as much as you can about each other. Don't forget to ask follow-up questions for clarification, to interrupt, to contribute fully to the conversation. When you have determined what kind of person each of you is, decide what characteristics a person would need to have to be the ideal friend to both of you.

ALLEZ-Y!

In this chapter you learned and practiced some of the strategies necessary for effective communication. You practiced starting and ending conversations, you have become used to the strategies that help you keep the ball rolling. Before finishing this lesson, you are asked to redo one of the activities from the beginning of the chapter so that you can judge yourself the progress you have made. In addition, you can write down the words and expression that you have found particularly useful and that you plan to use in subsequent conversations.

X. Discutons ensemble! Two of you are telling something to the third person in your group. One of you starts, the second helps out, the third person reacts, asks for clarification, etc. Remember to use an appropriate way to start and end the conversation.

Suggested Topics: Your reactions to a film, book, or video.
Your reactions to a professor.
Something that happened yesterday or last weekend.
Plans you have for the next vacation.

vocabulaire Ce que je veux retenir

Chapitre 3

« *Tu pourrais me donner un coup de main?* »

LES
BESOINS
QUOTIDIENS

CHEZ VOUS 1

PLANNING STRATEGY

A. Asking for help. Your French friend is in need of help. He asks you how one goes about asking another person for help in English. Imagine a situation (he needs money, a ride, to borrow something, etc.) and suggest three ways he could ask for help; be sure to indicate to him the level of language (formal, informal, slang).

1. Can I borrow ~~some money~~?

2. Can you do me a favor
   rendre un service.

3. _____

A L'ECOUTE

Ecoutez deux ou trois fois les six petites conversations de la Partie 3 de votre bande en vous habituant au rythme de la conversation et en cherchant à identifier les sujets discutés. Ensuite réécoutez les conversations et faites les exercices suivants.

B. On accepte ou on refuse? Pour chaque conversation précisez le sujet (c'est-à-dire, quel service est-ce qu'on demande?), puis indiquez la réponse: 1) on accepte tout de suite de faire ce qu'on demande; 2) on accepte mais difficilement et sous certaines conditions; 3) on refuse de rendre le service.

Service demandé	Réponse (1, 2, 3)
1. _____	_____
2. _____	_____
3. _____	_____

4. _____   _____

5. _____   _____

6. _____   _____

C. Services. Trouvez dans les conversations au moins trois expressions ou formules qu'on utilise pour:

1. demander un service

_____

_____

_____

2. accepter de rendre un service

_____

_____

3. hésiter à rendre un service

_____

_____

4. refuser de rendre un service

_____

_____

_____

LES MATIERES PREMIERES (VOCABULAIRE ET RENSEIGNEMENTS)

D. Les services dont on a besoin. Quand vous demandez à quelqu'un de vous rendre service, c'est normalement parce que vous avez besoin de quelque chose. Voici une liste de services qu'on demande souvent; ajoutez-en trois que vous avez demandés ou que vous pourriez demander un jour.

laisser un mot   s'occuper d'un animal

emprunter de l'argent   acheter des timbres

emprunter une voiture   _____

venir vous chercher   _____

aider à déménager   _____

Pour chaque service donnez trois ou quatre mots ou expressions que vous connaissez et qui seraient utiles pour préciser exactement le service demandé.

MODELE: laisser un mot

numéro de téléphone
_____
rappeler
_____
avant ... heures
_____

[Handwritten notes in left margin: conditionnel base du fut + ter de l'imparfait; tiendr + ais ait; moins formel – veuf; l'impératif]

emprunter de l'argent

s'occuper d'un animal

_____

_____

_____

_____

_____

_____

_____

_____

emprunter une voiture

acheter des timbres

_____

_____

_____

_____

_____

_____

venir vous chercher

_____

_____

_____

_____

_____

aider à déménager

_____

_____

_____

« Est-ce que vous pourriez nous donner un coup de main? »

La main tendue

Vous pouvez les aider

Comme vous, ce sont des lectrices de notre journal. Elles ont un problème et demandent du réconfort. Nous publions ici leur courrier en préservant leur anonymat. Mais si vous pensez pouvoir les aider, écrivez-leur par notre intermédiaire. Nous leur ferons parvenir toutes vos lettres. Et si, comme elles, vous en éprouvez le besoin, écrivez-nous.

FRIPES

ENFANT
QUEL UNIVERS INVEN-TER. Place des Fêtes, pour

SERVICES

TRANSPORTS-DEME-NAGEMENTS 24hx24 Paris, banlieue, province et provin-ce. Jusqu'à 50m3. Tous ris-ques assurés. Garde-meubles et mise en dépôt-vente. Dé-barras. 42.94.08.25. Pour la province composer le 16-1. Répondeurs si absent, laissez votre n de tél.

LES DEMENAGE-MENTS, nous les faisons tous, les grands, les petits, les beaux et les moins beaux,, sur Paris et dans tous les coins de France et de Navarre. Nous fournissons gratuitement des cartons, faisons garde-meu-bles, tout ça avec professiona-lisme et efficacité. Tél. 43.48.70.96.

PEINTRE EN DECOR di-plômé propose imitations bois et marbre, trompes l'oeil, etc. sur tout supports : mural, meubles, bibelo Choix sur do 42.26.67

E. Un service dont vous avez besoin. Vous êtes très occupé(e) en ce moment, vous voulez donc demander à un(e) ami(e) de vous rendre un service. Décidez ce que vous allez demander, puis répondez aux questions suivantes. Ecrivez vos réponses ci-dessous.

1. Comment allez-vous demander ce service? Qu'est-ce que vous allez dire si votre ami(e) n'accepte pas tout de suite?

_____

_____

_____

2. Imaginez que votre ami(e) vous a demandé de lui rendre le même service, et que vous ne voulez pas l'aider. Qu'est-ce que vous allez dire pour refuser? Et s'il (si elle) insiste?

_____

_____

_____

F. Les services dont on a besoin *(suite).* Comparez avec d'autres étudiants les listes de mots et d'expressions que vous avez dressées pour l'exercice **D.** Commencez par les services de la liste générale (laisser un mot, emprunter de l'argent, etc.); ensuite chaque étudiant(e) peut présenter un des services qu'il(elle) a ajoutés.

G. J'ai besoin de quelqu'un pour... Choisissez quatre ou cinq des services sur lesquels vous avez travaillé dans l'exercice **F.** En utilisant les mots et les expressions de vos listes, expliquez pourquoi vous avez besoin d'aide.

> MODELE: s'occuper d'un animal
>
> J'ai besoin de quelqu'un pour s'occuper de mon chat.
> Je vais partir pour le week-end et je veux que
> quelqu'un lui donne quelque chose à manger.

POUR DEMANDER UN SERVICE

Quand on demande à quelqu'un de rendre un service, on met d'habitude le verbe au conditionnel. De cette façon, on souligne l'idée que l'action n'est qu'éventuelle, c'est-à-dire, qu'elle ne s'est pas encore produite et que l'autre personne a la possibilité d'accepter ou de refuser de rendre ce service.

> — S'il vous plaît, Madame. Est-ce que vous pourriez me changer ce billet de mille francs?
>
> — Ecoute, Alfred. Tu voudrais bien me prendre un journal pendant que tu seras en ville?

Bien entendu, la formule qu'on utilise peut varier selon le contexte. Par exemple, dans une situation où il faut être très poli, on utilise une expression plus cérémonieuse:

> — Excusez-moi, Monsieur. Auriez-vous la gentillesse de me rendre un petit service? J'ai besoin de quelqu'un qui pourrait me conduire à l'aéroport.

Par contre, en parlant à un très bon ami, on peut même laisser tomber le conditionnel:

> — Georgette. Je sors avec Eric ce soir. Tu vas être gentille, tu vas me prêter ton nouveau pull?

EXPRESSIONS UTILES POUR DEMANDER UN SERVICE

STYLE ELEVÉ

Voudriez-vous bien…?	Would you like to…?
Pourriez-vous…?	Could you…?
Auriez-vous la gentillesse de…? *inf*	Would you be kind enough to…?
Est-ce qu'il vous serait possible de…?	Would it be possible for you to…?
Auriez-vous le temps de…?	Would you have the time to…?
Si ça ne vous dérangeait pas trop, je vous demanderais de…	If it wasn't too much trouble I'd ask you to…
Auriez-vous l'obligeance de (m'indiquer)…	Could you be so kind (to show me…)

STYLE FAMILIER

Tu veux (voudrais) bien…?	Will (would) you…?
Tu pourrais…?	Could you…?
Tu pourrais me donner un coup de main?	Could you give me a hand?
Tu serais gentil(le) de…?	Would you be nice enough to…?
Est-ce qu'il te serait possible de…?	Would it be possible for you to…?
Tu as le temps de…?	Do you have the time to?
Pourrais-tu me faire plaisir et…?	Could you do me this favor and…?

avoir besoin de, envie de, l'intention de

H. Vous demandez à… de…   Demandez à tour de rôle les services suivants; donnez au moins deux façons différentes de faire chaque demande. Ajoutez des détails. Variez chaque fois les expressions que vous utilisez.

> MODELE: Demandez à votre camarade de chambre de vous réveiller à 6h30.
>
> —Michel, tu pourrais me réveiller à 6h30. J'ai un examen et je voudrais étudier avant d'aller en classe.
> —Suzanne, tu serais gentille de me réveiller à 6h30. Je dois téléphoner à mon père avant qu'il n'aille au travail.

1. Demandez à un(e) ami(e) de vous prêter de l'argent.
2. Demandez à un passant de vous aider à démarrer votre voiture.
3. Demandez à votre père de vous donner sa nouvelle voiture pour le week-end.
4. Demandez à un(e) ami(e) de vous aider à corriger un devoir.
5. Demandez à la mère de votre ami(e) de lui dire que…
6. Demandez à un(e) ami(e) de vous aider à déménager ce week-end.
7. Demandez à votre camarade de chambre de vous acheter des timbres.
8. Demandez à un garçon de restaurant de vous apporter une autre fourchette.

I. Mon ami ne parle pas français.   Vous voyagez dans un pays francophone avec un(e) ami(e) qui ne parle pas français. Par conséquent, chaque fois que votre ami(e) a besoin de quelque chose, c'est vous qui devez faire la demande pour lui (elle). Pour chaque situation, votre ami(e) inventera les détails (en anglais!) et vous ferez la demande de service (en français, bien entendu).

MODELE: (with a family you know) to get to the airport

Ami(e): I have only an hour to get to the airport; my plane is going to leave without me. Get someone to take me there, will you?
Vous: Est-ce que vous pourriez aider mon ami(e)? Il(elle) a besoin de quelqu'un pour le(la) conduire à l'aéroport. Son avion part dans une heure.

1. (at hotel reservation center) to get a hotel room
2. (with another friend) to show around the city
3. (at a pharmacy) to get some medicine
4. (with another friend) to borrow something

CHEZ VOUS 2

J. Les services dont vous avez besoin. Préparez cinq demandes de service; utilisez les trois catégories de services que vous avez ajoutées à l'exercice **D** et deux autres genres de service qui vous conviennent particulièrement. Notez les mots-clés de votre demande ci-dessous (mais n'écrivez pas de phrases complètes).

1. donnez-moi un journal

aller non

2. téléphone-moi demain matin à 7 heures

3. m'emprunter leur livre
Kevin
Beth

4. Où se trouve le bureau de poste?

5. m'envoyez à la bibliothèque

Matt

ENTRE NOUS 2: ON VEUT BIEN OU NON?

POUR ACCEPTER OU POUR REFUSER DE RENDRE UN SERVICE

Quand on vous demande de rendre un service, vous avez, bien entendu, la possibilité d'accepter tout de suite:

— S'il vous plaît, Madame. Est-ce que vous pourriez me changer ce billet de mille francs?
— **Certainement,** Monsieur.

— Ecoute, Alfred. Tu voudrais bien me prendre un journal pendant que tu seras en ville?
— **D'accord. Pas de problème.** Qu'est-ce que tu veux—*Le Monde?*

Ou bien vous pouvez hésiter avant d'accepter de faire ce qu'on vous demande:

— Excusez-moi, Monsieur. Auriez-vous la gentillesse de me rendre un petit service? J'ai besoin de trouver quelqu'un qui pourrait me conduire à l'aéroport.
— **Je voudrais bien** le faire moi-même, mais je suis obligé de rester ici jusqu'à 4h.
— Cela ne fait rien, Monsieur. Je ne suis pas pressée.
— Dans ce cas-là, je serais heureux de vous y amener... disons, 4h15.

— Georgette. Je sors ce soir avec Eric. Tu vas être gentille, tu vas me **prêter** ton nouveau pull?
— Mon nouveau pull? **Je ne sais pas,** Martine. Je ne l'ai pas encore porté.
— Oui, mais je te promets d'y faire bien attention. Il est si joli!
— **Bon. D'accord.** Je te le prête pour la soirée.

Naturellement il y a des fois où on ne peut pas ou on ne veut pas rendre service. Dans ces cas-là on peut refuser catégoriquement:

— S'il vous plaît, Madame. Est-ce que vous pourriez me changer ce billet de mille francs?
— **Je suis désolée,** Monsieur. **C'est impossible.** Je n'ai que des billets de dix et de cinquante et il me les faut.

— Georgette. Je sors ce soir avec Eric. Tu vas être gentille, tu vas me prêter ton nouveau pull?

— Mon nouveau pull? **Tu es folle! Pas question.** C'est moi qui le porte ce soir.

Ou bien on peut refuser d'une manière plus délicate en suggérant des difficultés et en proposant une autre possiblité:

— Ecoute, Alfred. Tu voudrais bien me prendre un journal pendant que tu seras en ville.

— **Je voudrais bien, mais...** c'est-à-dire, euh... je n'ai pas beaucoup de temps et il n'est pas certain que je passe du côté du bureau de tabac.

— Oui, mais... si tu vois un marchand de journaux, par hasard...

— D'accord, mais **je ne te promets rien.**

— Excusez-moi, Monsieur. Auriez-vous la gentillesse de me rendre un petit service? J'ai besoin de trouver quelqu'un qui pourrait me conduire à l'aéroport.

— **Si j'avais le temps,** je serais heureux de vous y amener, mais...

— Oh, je ne suis pas pressée, Monsieur. Nous pourrons y aller quand vous le voudrez.

— Oui, mais il faut vous dire que ma femme a la voiture et... c'est-à-dire... je crois **que vous feriez mieux de** demander à quelqu'un d'autre.

memomemomemomem

EXPRESSIONS UTILES

POUR ACCEPTER

Certainement.	Certainly.
Bien sûr.	Of course.
Avec plaisir.	With pleasure.
D'accord.	Okay.
Pas de problème.	No problem.
Rien de plus facile.	Nothing could be easier.

POUR REFUSER

Je suis désolé(e)...	I'm very sorry...
Je regrette, mais je ne peux pas...	I'm sorry, but I can't...
C'est impossible.	It's impossible.
Tu es fou (folle)!	Are you crazy?
Pas question.	No way.
Aucun moyen (de...)	No way (to)...
Je crains que non.	I'm afraid I can't.

POUR HÉSITER

Je voudrais bien, mais...	I'd like to, but...
Je ne sais pas.	I don't know.
Si j'avais le temps...	If I had the time...
Ça dépend.	That depends.
C'est possible, mais...	That's possible, but...
Je ne dis pas non, mais...	I don't say no, but ...
Ma foi,...	Well...

K. Plusieurs réponses. Pour chaque service, la première personne fait la demande, les trois autres répondent ainsi: l'une refuse catégoriquement; la deuxième refuse plus gentiment; et la troisième accepte (avec ou sans hésitation, comme elle veut). Changez d'expression et de personnage pour chaque service.

> MODELE: Demandez à un(e) camarade de classe de vous prêter son livre.
>
> A: Jean-Pierre, tu pourrais me passer ton livre de français? J'ai oublié le mien.
> B: Absolument pas. Je n'ai pas encore fait mes devoirs.
> A: Yvette, est-ce que tu voudrais bien me prêter ton livre?
> C: Je ne sais pas. J'en aurai besoin cet après-midi...tu promets de me le rendre avant une heure?...oh, j'ai oublié, il me reste encore un exercice à faire...je suis désolée.
> A: Chantal. Tu serais gentille de me prêter ton livre?
> D: Mais oui, le voici. Mais n'oublie pas de me le rendre avant le cours.

1. Demandez à un(e) ami(e) de vous prêter de l'argent.
2. Demandez à un(e) ami(e) de vous aider à déménager.
3. Demandez à un(e) passant(e) de vous aider à porter un lourd paquet.
4. Demandez à un(e) ami(e) de vous amener à la gare.
5. Demandez à un(e) passant(e) de vous aider à changer le pneu de votre voiture.
6. Demandez à un(e) ami(e) de vous prêter un vêtement.

L. Les services dont vous avez besoin *(suite).* Faites des demandes de service en utilisant les cinq situations que vous avez préparées pour l'exercice **J.** Si on vous refuse catégoriquement, cherchez une autre personne pour vous aider; si on hésite, essayer de convaincre la personne à vous aider. Variez chaque fois les expressions que vous utilisez pour demander un service et pour donner une réponse aux demandes de service.

CHEZ VOUS 3

M. Que faire? Imaginez que vous vous trouvez dans chacune des situations suivantes. Pensez au service que vous allez demander et en même temps organisez une stratégie au cas où on n'accepterait pas tout de suite de faire ce que vous demandez. Notez ci-dessous la personne à qui vous allez faire la demande, l'expression que vous allez utiliser pour la faire ainsi que quelques arguments pour convaincre cette personne.

1. Vous voyagez en France et vous avez loué une voiture. Vous vous arrêtez dans un petit village pour déjeuner. Quand vous retournez à la voiture, vous découvrez qu'elle est fermée à clé et que vous avez laissé vos clés à l'intérieur de la voiture.

   Excusez-moi, madame, mais mes clés sont dans la voiture. Pourriez-vous m'aider? Où se trouve la station de police?

2. Votre meilleur(e) ami(e) se marie ce week-end et vous voulez lui offrir un cadeau. Mais vous n'avez pas beaucoup d'argent et vous ne serez pas payé avant la fin du mois.

   Mama, s'il vous plaît, je voudrais de emprunter 50 francs pour acheter un cadeau pour Lisette. Est-il possible

3. Vous vous êtes cassé la jambe et vous êtes à l'hôpital depuis quelques jours. Vous ne vous y plaisez pas. Vous n'aimez pas la nourriture, vous vous ennuyez, etc. Un(e) amie vient vous rendre visite.

Bonjour, Charles. Tu pourrais me donner un coup de main. Je voudrais mes livres. Aide-moi.

A L'EPREUVE

N. Que faire? *(suite)* Vous allez jouer chacune des situations de l'exercice **M.** Quand vous demandez un service, votre partenaire commencera par hésiter. Selon la qualité de vos arguments, il (elle) finira par accepter ou par refuser de vous aider. N'oubliez pas d'indiquer à votre partenaire le rôle que vous jouez. Changez de partenaire chaque fois.

O. Répétition générale. Le professeur annoncera deux catégories de demande (par exemple, emprunter de l'argent, s'occuper d'un animal). Vous choisirez une de ces catégories, votre partenaire, l'autre. Vous aurez une minute pour penser à la demande précise que vous allez faire. Quand le professeur annoncera le genre de réponses (refus, acceptation provisoire, etc.), vous jouerez les deux scènes. Ensuite, vous changerez de partenaire, le professeur annoncera deux nouvelles catégories de demande et un genre de réponse différent et vous continuerez.

POUR DEMANDER UN SERVICE A UNE PERSONNE QU'ON NE CONNAIT PAS DU TOUT

Si on se trouve dans une situation où il faut demander de l'aide à quelqu'un que l'on ne connaît pas du tout, on peut utiliser les expressions que nous avons étudiées ci-dessus. Mais il faut les précéder d'une formule de politesse:

— **Pardon, Monsieur,** est-ce que vous pourriez m'aider à ouvrir cette fenêtre?

— **Excusez-moi, Madame,** voudriez-vous surveiller ma valise deux ou trois minutes? Je dois aller téléphoner.

— **Excusez-moi de vous déranger,** mais est-ce que vous auriez le temps de me donner quelques renseignements?

memomemo

EXPRESSIONS POUR DEMANDER SERVICE A UNE PERSONNE QU'ON NE CONNAIT PAS

Pardon, Monsieur (Madame,...)	Pardon me, Sir (Ma'am,...)
Excusez-moi, Monsieur (Madame,...)	Excuse me, Sir (Ma'am,...)
Je m'excuse de vous déranger, mais...	I'm sorry to bother you, but...
Pardon, Monsieur (Madame,...), je me trouve dans une situation embarrassante.	Pardon me, Sir (Ma'am,...), I'm in an embarassing situation.

P. Excusez-moi, Monsieur (Madame).... Si le professeur vous donne la carte A, vous allez circuler dans la classe en cherchant parmi les gens assis quelqu'un qui puisse vous rendre chacun des services indiqués sur la carte. Vous aurez parfois des difficultés, puisqu'il s'agit de gens que vous ne connaissez pas. Par conséquent, si on vous refuse, adressez-vous à quelqu'un d'autre. Quand vous réussissez à trouver quelqu'un pour vous aider, faites la demande suivante à quelqu'un de nouveau. Si vous recevez la carte B, vous restez assis en attendant qu'on vienne vous demander de rendre service. Vous acceptez ou refusez selon les renseignements donnés sur la carte. Si vous refusez, n'oubliez pas d'expliquer poliment pourquoi. Au bout d'un certain temps, le professeur distribuera de nouvelles cartes (C et D) et les rôles seront renversés.

CHEZ VOUS 4

Q. Une situation embarrassante. Vous voyagez seul(e) dans un pays francophone. Vous descendez dans un petit hôtel. Vous vous réveillez le matin pour trouver qu'on a pénétré dans votre chambre pendant la nuit et qu'on a tout volé—absolument tout: il ne vous reste qu'une grande serviette de bain appartenant à l'hôtel. En plus, c'est le jour de votre départ; vous devez prendre l'avion dans quelques heures. Après avoir réfléchi un moment, vous vous rendez compte qu'il y a trois personnes à qui vous pourrez demander

de l'aide: un employé de l'hôtel, le(s) voyageur(s) qui occupe(nt) la chambre voisine et l'ami(e) d'un(e) ami(e) qui habite dans la ville et à qui vous pouvez téléphoner. Préparez-vous à jouer cette scène en complétant le schéma suivant:

Ce dont vous avez besoin: _____

_____

_____

_____

Les demandes que vous allez faire...

à l'employé: *Pardon madame, Est-ce qu'il vous serait possible de m'aider à l'aeroport.*

au(x) voisin(s): *Pardon monsieur, auriez-vous la gentilesse de m'emprunté votre télé phone? Je voudrais téléphones un ami.*

à l'ami(e) de l'ami(e): *Pourrais-tu me faire plaisir et m'envoit à l'aeroport? Et avez vous les pantalons pour moi?*

Que veux-tu que je fasse pour vous? Je préférerais que tu téléphones à la police.

R. Une situation embarrassante *(suite).*   Vous allez jouer la scène en imaginant qu'il est 7h du matin et que la victime vient de se réveiller. Si vous jouez un rôle autre que celui de la victime, essayez de penser aux réactions probables d'une telle personne: par exemple, l'employé a l'habitude de ces situations, pour lui il n'y a rien d'exceptionnel; le(s) voisin(s) est(sont) un peu méfiant(s), il(s) vient(viennent) de se réveiller aussi; l'ami(e) de l'ami(e) veut bien aider, mais il(elle) habite assez loin de l'hôtel. Après quelques minutes, vous pourrez changer de partenaires et jouer un autre rôle.

IMPROVISONS!

S. Une vie plus agréable.   Normalement, si on demande à quelqu'un de rendre service, c'est parce qu'on a vraiment besoin de quelque chose. Il arrive pourtant qu'on fasse une demande de service tout simplement afin de rendre la vie un peu plus facile, un peu plus agréable. Faites ci-dessous une liste de services qu'on pourrait vous rendre afin de vous rendre la vie plus agréable (par exemple, qu'on vous apporte une pizza tous les soirs à 11h, que quelqu'un vienne faire votre lessive une fois par semaine, etc.). Ensuite, vous allez circuler parmi vos camarades de classe en cherchant quelqu'un qui veuille bien vous rendre service. Il y aura pourtant une condition: on n'acceptera pas de vous rendre service à moins que vous n'acceptiez de satisfaire à une demande de l'autre personne. Il s'agira toujours d'un échange de services. Par conséquent, chaque fois qu'on accepte de vous rendre un des services sur votre liste, vous allez noter aussi le service que vous avez accepté de rendre en échange.

Services qu'on va vous rendre	Services que vous allez rendre

ALLEZ-Y!

Dans ce chapitre vous avez appris à demander un service. Vous savez faire votre demande et, s'il le faut, réviser cette demande afin de recevoir une réponse positive. En plus, vous savez répondre aux demandes de service en acceptant, en imposant des conditions ou en refusant. Pour terminer cette leçon on va vous demander de refaire un exercice du début (comme ça vous pourrez voir ce que vous avez appris) et de dresser une liste d'expressions utiles pour demander un service (comme ça vous pourrez la consulter à l'avenir).

T. Un service dont vous avez besoin *(reprise).*   Regardez la demande de service que vous avez préparée pour l'exercice **E.** Vous allez trouver deux camarades de classe à qui

Je désire que Suj Verbe Subj
Je veux (voudrais) que...

vous allez faire cette demande. Les deux vont hésiter d'abord, puis la première va refuser, la seconde va accepter.

vocabulaire
Ce que je veux retenir

Chapitre 4

COMMENT DEMANDER ET DONNER
DES RENSEIGNEMENTS

« *Pourriez-vous me dire...?* »

LA
VIE
PROFESSIONNELLE

CHEZ VOUS 1

PLANNING STRATEGY

A. Asking for and giving information. Your French friend is having trouble asking for and giving information when speaking English. Imagine two contexts (asking for directions, giving information in an interview, asking for information in a store, etc.), and then provide your friend with some ways to get and give information. Be sure to indicate to him the level of language (formal, informal, slang).

Context: ~~How do I get~~ to the library

Asking for information:

1. how do you get to the library?

2. What is the name of the library?

3. Can I get there on a bus?

Giving information:

1. They have a great fiction section.

2. Here's how to find the bus stop.

3. This is how you ask the librarian for help.

Context: ~~getting~~ in a grocery store

Asking for information:

1. Where can I find bread?

2. _____

_____

3. _____

_____

Giving information:

1. _____

_____

2. _____

_____

3. _____

_____

A L'ECOUTE

Ecoutez deux ou trois fois les interviews de la Partie 4 de votre bande en vous habituant au rythme de la conversation et en cherchant à identifier les sujets discutés. Ensuite réécoutez les interviews et faites les exercices suivants.

B. Questions.   Répondez aux questions d'après ce que vous avez entendu sur la Partie 4.

PREMIERE INTERVIEW

1. Quelles questions posées par l'interviewer vous semblent les plus importantes?

_____

_____

_____

2. Donnez trois expressions ou phrases employées par l'interviewer pour obtenir des renseignements.

_____

_____

_____

3. Quels sont les faits les plus importants que vous avez appris sur la personne interviewée?

_____

_____

DEUXIEME INTERVIEW

1. Quelles questions posées par l'interviewer vous semblent les plus importantes?

_____

_____

_____

2. Qu'est-ce que la personne interviewée a fait dans le passé?

_____

Est-ce qu'il aura le poste?

_____

_____

3. Comment caractérisez-vous la personne interviewée?

_____

_____

_____

C. A vous de décider.   Qui aura le poste d'instituteur? Avant de prendre votre décision, faites le bilan des qualités et des faiblesses des deux candidats.

Premier candidat

Qualités: _____

_____

_____

_____

_____

Faiblesses: _____

_____

_____

_____

Deuxième candidate

Qualités: _____

_____

_____

_____

_____

Faiblesses: _____

_____

_____

_____

_____

Qui aura le poste? L'homme ou la femme? _____

LES MATIERES PREMIERES (VOCABULAIRE ET RENSEIGNEMENTS)

D. Pardon, Monsieur... Que nous soyons en interview, dans un magasin, au téléphone, à l'université ou dans la rue, nous avons toujours besoin de stratégies qui nous permettent d'obtenir des renseignements. Ceci est surtout vrai quand nous nous trouvons dans un pays étranger que nous connaissons très peu. En posant des questions, il faut employer des formules de politesse pour ne pas offenser les autres. Formulez deux questions qu'on pourrait poser dans les situations suivantes. N'oubliez pas d'employer **vous** avec une personne que vous connaissez peu et **tu** avec une personne que vous connaissez bien.

à la poste (la postière)

Pardon madame, mais pourriez vous me dire où se trouve l'Arc de Triomphe?

dans la rue (un étranger)

Je m'excuse de vous déranger, mais où se trouve la bureau de poste?

au magasin (le vendeur)

Excusez-moi, monsieur, combien coûtes les chausettes?

à l'université (une amie)

Bonjour, Charles. Dit-moi où se trôuve la Chambre no. 83.

lors d'une interview (vous interviewez un jeune homme)

Bonjour. Et pour quel travail est-tu ici?

ENTRE NOUS 1: COMMENT DEMANDER DES RENSEIGNEMENTS

E. Pardon, Monsieur... *(suite).* Choisissez une des situations ci-dessus et posez poliment une question à votre partenaire. Ne l'avertissez pas à l'avance de la situation que vous allez choisir. Quand vous aurez obtenu une réponse, votre partenaire vous posera une question.

DEMANDER DES RENSEIGNEMENTS

Si vous vous trouvez dans un pays francophone, vous verrez qu'il y a beaucoup de choses qui vous sont étrangères. Vous allez donc dépendre de la bonne volonté des autres qui seront, en général, très prêts à répondre à vos questions. Mais il faut être prudent et s'adresser aux autres avec politesse et poser des questions précises pour éviter les malentendus. Voici quelques expressions qui vous aideront à obtenir des renseignements.

— **Pardon, Monsieur. Pourriez-vous m'indiquer** où se trouve le rayon des chaussures?

— **Pardon, Madame. Sauriez-vous** à quelle heure part le train pour Rouen?

— **Excusez-moi, Mademoiselle. Je cherche** l'hôtel Astérix.

— **Dis,** Michèle, **est-ce que tu sais** où j'ai mis mon pullover rouge?

— Je sais que Jacqueline est de très mauvaise humeur. **Peux-tu me dire** ce qui est arrivé?

memomemomemomemon

EXPRESSIONS UTILES POUR DEMANDER DES RENSEIGNEMENTS

STYLE ÉLEVÉ

Pardon, (Excusez-moi,) Madame (Monsieur, Mademoiselle),	Excuse me, Ma'am, (Sir, Miss),
pourriez-vous me dire…?	can you tell me…?
pourriez-vous m'indiquer…?	can you tell (show) me…?
sauriez-vous…?	would you know…?
j'aimerais savoir…	I'd like to know…
est-ce que vous pouvez me dire…?	can you tell me…?

STYLE FAMILIER

Dis…, (Dis donc…,)	Say…,
peux-tu me dire…?	can you tell me…?
peux-tu m'indiquer…?	can you tell (show) me…?
est-ce que tu sais…?	do you know…?
je cherche…	I'm looking for…

Questions d'information: **où, à quelle heure, comment, quand, chez qui,** etc.

F. Excusez-moi, Madame…. A tour de rôle, demandez des renseignements à votre partenaire selon les indications données. Votre partenaire doit inventer une réponse.

MODELE: la gare de Lyon / où

— Pardon, Mademoiselle. Pourriez-vous m'indiquer où se trouve la gare de Lyon?
— Avec plaisir. Allez tout droit jusqu'au coin là-bas et tournez à gauche. Vous verrez la gare juste devant vous.

1. le rayon des vêtements pour dames / à quel étage
2. l'adresse de Jean
3. le concert / à quelle heure
4. acheter des tickets de métro / où
5. une pharmacie / où
6. le train pour Bordeaux / à quelle heure
7. Jean-Marc est fâché / pourquoi
8. acheter un journal américain / chez qui

G. Pour mieux te connaître…. Choisissez un des sujets suivants et posez des questions à votre partenaire. Employez une variété de questions d'information (où, comment, pourquoi, quand, à quelle heure, qui, etc.). Quand vous aurez terminé, votre partenaire sera obligé(e) de découvrir vos goûts, après avoir choisi un des sujets suggérés. Enfin, vous allez rapporter à la classe entière ce que vous avez appris.

Sujets: goûts culinaires, loisirs, famille, études, aspirations, intérêts

H. Une interview. Vous et votre camarade de chambre vont interviewer une personne qui veut partager votre appartement avec vous. Posez-lui beaucoup de questions (employez **tu**) et décidez ensuite si vous allez offrir une chambre à cette personne.

I. Son travail. Posez des questions à votre partenaire au sujet du travail de quelqu'un qu'il (elle) connaît bien (mère, père, frère, soeur, etc.). Commencez par découvrir ce que cette personne fait et où elle travaille. Inscrivez les renseignements sur le formulaire ci-dessous.

PERSONNE :

TRAVAIL :

LIEU DE TRAVAIL :

HEURES DE TRAVAIL :

TRANSPORT POUR ARRIVER AU TRAVAIL :

RESPONSABILITÉS :

CHEZ VOUS 2

J. Mes priorités. Réfléchissez un peu à votre avenir et décidez lesquels des aspects suivants seront les plus importants dans votre vie professionnelle. Numérotez les données suivantes en ordre de priorité.

l'argent _1_

la sécurité du travail _8_

la satisfaction personnelle _1_

l'interaction avec les autres _4_

la possibilité de voyager _5_

la stimulation intellectuelle _2_

de longues vacances _10_

bonnes chances d'avancement _9_

grande responsabilité _6_

le plaisir du travail _3_

Maintenant, décidez comment vous allez donner des renseignements au sujet de vos trois premières priorités. Commencez avec « D'abord, ce qui m'intéresse le plus c'est... ».

D'abord, ce qui m'intéresse le plus c'est la satisfaction personelle. Je sais que la vie est court. Mon deuxième choix est la stimulation intellectuelle parce que sans ça, la ? déterioré. Ma troisième choix, le plaisir du travail, est parce que chaque journée, on fait la même chose.

metteur en scène

ENTRE NOUS 2: COMMENT DONNER DES RENSEIGNEMENTS

K. Mes priorités *(suite).* Expliquez à vos camarades votre liste de priorités pour une vie professionnelle satisfaisante. Vos camarades vont vous demander des renseignements supplémentaires.

DONNER DES RENSEIGNEMENTS

Quand on vous demande des renseignements, il y a une grande variété de réponses possibles. Par exemple, on peut vous poser une question d'ordre pratique qui a une réponse précise. Les exemples suivants vous indiquent ce que vous pouvez dire si: 1) vous savez la réponse; 2) vous n'êtes pas sûr(e); 3) vous ne savez pas la réponse.

— Pardon, Monsieur. Pourriez-vous m'indiquer où se trouve la poste?

1. **C'est très simple.** Vous prenez la première rue à gauche, et vous trouverez la poste tout de suite sur votre droite.
2. **Attendez que je réfléchisse un peu.** Oui, voilà. Vous prenez la première rue à gauche, et vous trouverez la poste tout de suite sur votre droite.
3. **Je suis désolé, Madame.** Je ne suis pas d'ici.

— Excusez-moi, Mademoiselle. Vous avez l'heure, s'il vous plaît?

1. **Oui,** il est midi vingt.
2. **Je ne suis pas sûre. Je crois** qu'il est trois heures.
3. **J'aimerais vous aider, mais** je n'ai pas de montre.

— Pardon, Madame. Est-ce qu'il y a une charcuterie près d'ici?

1. **Voyons... oui...** vous en trouverez une au bout de la rue, en face de la banque.
2. **Attendez. Je ne me rappelle pas très bien.** Je crois qu'il y en a une là, à gauche, à côté du café.
3. **Désolée.** Je ne connais pas le quartier.

EXPRESSIONS UTILES POUR DONNER DES RENSEIGNEMENTS

Bien sûr, Madame (Monsieur, Mademoiselle). Vous...	Of course, Ma'am (Sir, Miss). You...
Je suis désolé(e)... mais...	I'm sorry... but...
C'est très simple. Vous...	It's very simple. You...
Ça dépend... (suivi d'une question)	That depends... (followed by a question)
Attendez un instant. Je vais regarder.	Wait a second. I'll look.
Désolé(e), mais je ne suis pas d'ici.	Sorry, but I'm not from here.
J'aimerais bien vous aider, mais...	I'd like to help you, but...
Voyons... tu (vous)...	Let's see... you...
Eh ben...	Ah... (Um...) (informal)
Attends (Attendez), je ne me rappelle pas très bien.	Wait, I can't remember very well.
Attends (Attendez) que je réfléchisse un peu.	Let me think.

L. Eh ben... Pour chacune des questions posées par votre partenaire, choisissez une des tournures ci-dessus avant de lui donner une réponse. Changez de ton selon la forme d'adresse (**tu** ou **vous**) que choisit votre partenaire.

MODELE: heure

— Tu as l'heure?
— Désolé(e), je n'ai pas de montre.

1. boulangerie
2. film
3. heure

4. train pour Caen
5. le musée du Louvre
6. autobus

M. Renseignements. Choisissez une des situations suivantes et demandez des renseignements à votre partenaire. Quand vous aurez terminé, choisissez une autre situation et changez de rôle.

— Vous allez à l'Hôtel Astérix, mais vous ne savez pas où il se trouve.
— Vous êtes dans un magasin et vous voulez savoir à quoi sert un outil.
— Vous êtes à la réception de votre hôtel et vous voulez des renseignements sur les musées de la ville.
— Vous êtes dans une agence de voyages et vous voulez des renseignements pour aller de Paris au Maroc.
— Vous êtes dans une interview et vous voulez des renseignements supplémentaires sur le poste que vous sollicitez.

N. Mon curriculum vitae. Votre ami(e) cherche un poste et il (elle) est obligé(e) de rédiger un curriculum vitae qui résume ses données autobiographiques et ses réalisations les plus importantes. Malheureusement, votre ami(e) s'est cassé le bras et ne peut pas écrire. Vous allez l'aider en lui posant des questions et en remplissant le formulaire pour lui (elle).

Remplissez s'il vous plaît

CURRICULUM VITAE

Nom: ~~Beth~~ Branchaw

Prénom: Beth

Date et lieu de naissance:
le 10 mars, 1970 à Chicago

Nationalité: Américaine

Domicile: 1320 Colorado Avenue
Joliet, Illinois   60435

Téléphone: (815) - ~~76~~ 725 - 4292

Formation: Cornell College
Joliet Ouest

Emplois: étudiante
bibliothèque

Langues: anglais, et un peu de français

Expérience (connaissances): au restaurant
au bibliothèque de Cornell

Disponibilité: les weekends.

Références:
1. Professeur Robert Dane
2. Prof. Richard Jones
3. Betta Fingold

O. Des interviews. Formez trois groupes de trois personnes. Chaque groupe représente une des firmes dont les annonces sont imprimées au-dessus et à la page 62. Les autres étudiants de la classe vont se présenter à une interview pour obtenir le poste. Les interviewers doivent préparer quelques questions à l'avance. Chaque interviewer doit poser deux questions.

Questions: _____

_____

_____

_____

_____

Quand au moins deux personnes ont été interviewées, le comité décide qui aura le poste et pour quelles raisons. Ensuite un membre du comité communique la décision au candidat et un autre membre du comité fait apprendre la mauvaise nouvelle à ceux qui n'ont pas été choisis pour le poste.

P. Un job que j'ai eu. Parlez à votre partenaire d'un job que vous avez déjà eu (pendant les vacances, le soir, etc.). Votre camarade va vous poser des questions pour en découvrir des détails supplémentaires.

CHEZ VOUS 3

Q. Les carrières qui m'intéressent. Votre formation en français peut, un jour, vous servir dans votre carrière. Voici une liste de sociétés et d'agences qui nécessitent souvent la connaissance d'une langue étrangère, et en particulier, du français. Trouvez les professions qu'on associe souvent à ces sociétés. Ensuite, regardez les annonces de l'exercice **O** et choisissez le job qui vous semble le plus intéressant. Si vous ne voyez pas un job qui vous intéresse parmi ces annonces, écrivez le titre de votre poste de préférence sur la ligne juste dans la deuxième colonne.

Agence ou société

lignes aériennes

Professions

pilot

~~stew~~ ~~cabin attendant~~

hôtesse de l'air

maisons d'édition

écoles et universités   une professeur
                                     une étudiante
firmes multinationales   réceptioniste
                                     janitor
gouvernement   mayor
                                     senator
les médias   journaliste
                                     éditeur ?
banques   cashier
                                     la présidente
agences de voyages   agent

agriculture   farmer

hôtels et restaurants   concierge
                                     valet
Le job qui m'intéresse le plus: janitor

R. Les carrières qui m'intéressent *(suite).* Comparez la liste des professions que vous avez trouvées à celles de vos camarades. Ajoutez les professions des autres à votre liste. Ensuite, indiquez-leur le job qui vous intéresse le plus. Vos camarades vont vous poser des questions pour découvrir les raisons de votre choix.

S. Mon premier jour de travail. Vous et votre partenaire êtes des collègues de travail. C'est votre premier jour et vous avez un grand nombre de questions. Votre collègue répondra de son mieux, mais il ne saura pas toujours la réponse. Employez des formules de politesse dans vos questions et réponses. Ci-dessous vous trouverez quelques suggestions de renseignements dont vous avez besoin.

- employer le prénom et **tu** avec les collègues
- heures de travail
- pauses
- heure du déjeuner
- le réfectoire
- toilettes
- vacances
- possibilités de voyage
- augmentation de salaire
- possibilités d'avancement
- transports aller-retour au travail
- jours de congé

[handwritten notes in margins and across the page]
tu – tutoyer de 7h à 5
vous – vouvoyer
1h pour déjeuner
2.15 m
le jeudi
à Armstrong
tous les étages
d'été
2 semaines
non
mama
li Braviar – bibliothécaire
Racheter – Speaker(ines) – mettes en scène & Cinéaste – personne
Manager – un chercheur – banker – banquier – filler – casser

CHEZ VOUS 4

T. Traits caractéristiques. Décidez quels traits caractéristiques sont essentiels pour réussir dans les professions suivantes; par exemple: patience, imagination, persévérence, etc. Pour chacun des traits, trouvez également un adjectif qui y correspond (patience/ patient) si possible.

	Noms ou phrases	Adjectifs
Artiste	imagination	créatif
	beaucoup de travail	
	avoir du talent	
	être doué	émotive
Professeur	patient	
Agent de voyages		

être logique

L'informatique

ET MAINTENANT

U. Traits caractéristiques *(suite).* Comparez les traits que vous avez choisis chez vous à ceux de vos camarades et décidez lesquels sont les plus importants. Ensuite, consultez un autre groupe, expliquez vos choix et donnez les raisons pour lesquelles vous avez pris vos décisions. Voici quelques tournures qui vous seront utiles pour donner vos explications:

Il faut absolument que la personne (subjonctif)...

Il est indispensable que la personne (subjonctif)...

Cette profession demande une personne qui (subjonctif)...

On s'attend à ce qu'une personne dans cette profession (subjonctif)...

Tout d'abord, je pense qu'une personne dans cette profession...

IMPROVISONS!

V. J'ai un(e) ami(e) qui... Pensez à des personnes que vous connaissez et expliquez à vos camarades ce qu'elles font comme travail. Vos camarades vont vous poser des questions sur le travail et sur les traits caractéristiques de la personne. Décidez ensuite si vous aimeriez faire ce même travail ou pas et donnez les raisons de votre choix.

ALLEZ-Y!

Dans ce chapitre vous avez appris à demander et donner des renseignements. Vous savez maintenant vous débrouiller quand vous vous trouvez dans une situation qui vous est étrangère, vous savez poser des questions et répondre poliment quand on vous demande des renseignements. Pour terminer cette leçon, on va vous demander de refaire un exercice du début (comme ça vous pourrez voir ce que vous avez appris) et de dresser une liste d'expressions utiles pour demander et donner des renseignements (comme ça vous pourrez la consulter à l'avenir).

W. Une interview *(reprise).* Vous et votre camarade de chambre allez interviewer une personne qui veut partager votre appartement avec vous. Posez-lui beaucoup de questions (employez **tu**) et décidez ensuite si vous allez offrir une chambre à cette personne. Employez des tournures de politesse pour obtenir les renseignements.

vocabulaire

Ce que
je veux retenir

Chapitre 5

‹‹ *C'est chouette, ça!* ››

LES
ACTUALITES

CHEZ VOUS 1

PLANNING STRATEGY

A. How to express feelings. Your French friend is having trouble letting people know how she feels about what is being said and events that occurred. Since you're her native informant in English, you provide her with some expressions that she can use in the following circumstances. Make sure that you indicate the level of language of each of the expressions (vulgar, familiar, polite).

1. Someone has just lost a very important tennis match and your friend wants to express the following feelings:

   sympathy _____

   _____

   _____

   disappointment _____

   _____

   _____

2. Your friend has just been told that her bicycle was stolen.

   anger _____

   _____

   _____

   surprise _____

   _____

   _____

   irritation _____

   _____

   _____

3. Your friend has just heard that her parents are coming to visit her.

   happiness _____

   _____

   _____

4. Your friend has just found out that her chemistry class was cancelled.

indifference _____

_____

_____

A L'ECOUTE

Ecoutez deux ou trois fois le bulletin d'informations de la Partie 5 de votre bande en vous habituant au rythme de la conversation et en cherchant à identifier les sujets discutés. Ensuite réécoutez le bulletin et faites l'exercice suivant.

B. Bulletin. Répondez aux questions d'après ce que vous avez entendu sur la Partie 5.

1. De quoi s'agit-il dans ce bulletin?

_____

2. Quel est l'état des routes?

_____

3. Quelles phrases employées par les écouteurs expriment les sentiments suivants?

Sentiments	Expression
colère	_____
irritation	_____
contentement	_____
surprise	_____

LES MATIERES PREMIERES (VOCABULAIRE ET RENSEIGNEMENTS)

C. Votre disposition. Quand êtes-vous de bonne ou de mauvaise humeur? Donnez deux situations pour chaque description de votre disposition (exemple: Je suis de mauvaise humeur quand je me suis disputé avec mes parents.).

1. Je suis déprimé(e) _____

_____

_____

2. Je suis en colère _____

_____

_____

3. Je suis très heureux(euse) _____

_____

_____

4. Je suis très étonné(e) _____

_____

_____

5. Je ne suis pas content(e) _____

_____

_____

D. Associations. Notez les adjectifs ou expressions qui vous viennent à l'esprit lorsque vous entendez les mots suivants.

Beauté

Sort Mu bon enfant

Bonheur

quand on reçoit un cadeau

Stupidité

Tristesse

Laideur

Surprise

Colère

Irritation

Dépression

ENTRE NOUS 1: COMMENT EXPRIMER LES SENTIMENTS

E. Associations *(suite).* Comparez votre liste d'associations à celle de vos camarades. Ensuite, choisissez un des sentiments et donnez un exemple d'une situation dans laquelle vous éprouvez ce sentiment.

COMMENT EXPRIMER LES SENTIMENTS

Quand vous apprenez une nouvelle, quand vous vous trouvez dans une discussion animée avec quelqu'un, quand vous faites le commentaire d'un film ou d'un livre, les mots que vous choisissez pour exprimer vos réactions sont très importants. D'abord, il faut savoir réagir convenablement pour ne pas créer de malentendus. Mais en plus, quand on exprime un sentiment, on montre indirectement son opinion. Avant d'exprimer un sentiment quelconque, il faut écouter attentivement ce qu'on dit. Il ne serait pas convenable, par exemple, de dire « Sensationnel » si on vient de vous apprendre que quelqu'un est malade! Les expressions que vous utiliserez pour montrer vos sentiments seront donc une indication de ce que vous pensez d'une personne ou d'un événement. Soyez prudent(e) et choisissez vos mots avec soin! Voici quelques expressions qui vous aideront à exprimer vos sentiments. Regardez chacune des photos et imaginez l'expression employée par les personnes. Attention au niveau de langue: vulgaire (-), familier (o), poli (+).

La compassion

Je suis navré(e).	+
Je suis vraiment désolé(e)	+
Quel malheur!	+
C'est affreux!	+
Je regrette.	+
Je peux t'aider?	o
Qu'est-ce que je peux faire?	o
Le (la) pauvre!	o

La colère

C'est le comble!	+
C'est un scandale!	+
J'en ai marre!	o
Eh dites, vous...	o
Vous n'êtes pas fou, non?	o
Ça ne va pas, non?	o
Vous vous moquez du monde?	o
Ça suffit, non?	o

La déception

Je suis vraiment déçu(e).	+
C'est vraiment décevant!	+
Ne t'inquiète pas.	+
Ce n'est pas la fin du monde.	+
Je tombe de haut.	+
Zut alors!	o
C'est vraiment dommage!	o
Ne t'en fais pas.	o
Ah non, c'est pas possible!	o
Tant pis!	o

La surprise

C'est incroyable!	+
Pas vrai!	o
Sans blague!	o
Tu plaisantes!	o
C'est pas croyable!	o
Ça alors!	o
Chic alors! Quelle surprise!	o
Chouette, alors!	o
Faut le faire!	o

Le bonheur

Quelle chance!	+
Formidable!	+
Quelle bonne nouvelle!	+
J'en suis ravi(e)!	+
Sensationnel!	o
C'est sensass!	o
C'est super!	o o
C'est épatant!	o o
C'est chouette!	o

L'irritation

Ça m'énerve!	+
Mince alors!	o
Zut alors!	o o
C'est embêtant!	o o o
Tu m'agaces!	o

L'indifférence

Tant pis!	+
On verra bien!	+
Ça m'est égal!	+
Ça me laisse indifférent!	+
C'est sans importance.	+
Bof!	o
Et puis après!	o o
Laisse tomber.	o o
Je m'en fiche!	o

F. Une lettre. A haute voix, lisez les extraits suivants de la lettre qu'un de vos amis vous a envoyée. Votre partenaire réagira d'une façon appropriée.

« Enfin, c'est fait. Mes parents ont finalement divorcé. J'en suis vraiment navré mais ça ne m'étonne pas. Les choses vont de mal en pire depuis des années. »

« Mon avenir est décidé! Je viens d'apprendre que le gouvernement va me donner la bourse qui me permettra de continuer mes études de droit. »

« Tu te rappelles Jean-Marc? Il s'est marié sans rien dire à personne. Lui, qui nous avait juré que le mariage n'était pas pour lui! »

« Je regrette, mais je ne pourrai pas te rendre visite à Noël. Je sais que tu comptais sur moi, mais j'ai des examens à préparer et j'ai pris du retard à cause de la situation avec mes parents. »

G. Bonheur ou malheur? Choisissez un des sentiments dans la liste ci-contre et expliquez aux autres dans quelles circonstances (situations) vous éprouvez ce sentiment. Ensuite, choisissez une de ces situations décrites dans votre groupe et allez la raconter à un(e) camarade de classe. Votre camarade réagira à ce que vous dites selon ses sentiments.

EXPRESSIONS UTILES POUR EXPRIMER

LE BONHEUR

C'est vachement bien!	That's great!
Quelle chance!	What luck!
Chouette!	Great! (Wonderful!)
Je suis heureux(euse) pour toi (vous)!	I'm happy for you!

LE MALHEUR

Tu (vous n'avez) n'as pas de chance!	You're not very lucky!
Quelle malchance!	What bad luck! (How unfortunate!)
C'est pas marrant!	That's not something to joke about!
Je te (vous) plains!	I'm sorry (for you)!
C'est vraiment dommage!	That's really too bad!

CHEZ VOUS 2

H. **Comment réagiriez-vous?** Ecrivez vos réactions aux expériences de vos amis.

MODELE: J'ai un rhume et je me sens vraiment très mal.
Le pauvre! Qu'est-ce que je peux faire pour toi?

1. J'ai raté mon examen de mathématiques.
O, Le pauvre. Je suis navré.

2. Mon frère a eu un accident de voiture.
Je suis désolé.

3. Je viens de gagner 5.000 dollars à la loterie!
Quell chance.

4. Mon chat est mort.
Je suis désolée.

5. Je viens de faire la connaissance d'un garçon formidable.
O La la. Formidable.

6. Je n'ai pas l'intention de t'aider avec tes difficultés!
Je m'en fiche.

7. Mes parents viennent de m'acheter une auto.
C'est super.

8. Tu m'énerves. Tu veux toujours emprunter quelque chose.
Au Contraire!

« C'est chouette, ça! »   73

I. Comment réagiriez-vous? *(suite).* Comparez vos réactions à celles de vos camarades. Si leurs réactions vous semblent bizarres, interrogez-les pour découvrir les raisons pour leurs réactions.

COMMENT FELICITER QUELQU'UN

Une bonne nouvelle, le récit d'un exploit, un anniversaire, etc., sont des occasions où l'on montre son enthousiasme et son bonheur par des félicitations. Le contexte et les circonstances vous indiqueront la meilleure façon de féliciter une personne. Voici quelques exemples:

Un mariage

> — Paul et moi, nous avons annoncé notre mariage.
> — **Tous mes voeux de bonheur!** Je suis ravi pour vous.

Un voyage ou des vacances

> — Merci bien. Et nos parents nous payent un voyage en Grèce!
> — **Ça alors! Bon voyage! Amusez-vous bien!**

Des jours de fête

> — Nous allons nous marier le premier janvier.
> — Alors, **joyeux Noël et bonne année!**

Une réussite (admiration)

> — Ah oui. Ça sera une bonne année pour moi. Mon patron m'a donné une promotion et je serai chef de section en rentrant.
> — **Chapeau!** Tu la mérites, cette promotion.

memomemomomem

EXPRESSIONS UTILES POUR EXPRIMER DE BONS SOUHAITS

Bonne chance!	Good luck!
A ta (votre) santé!	To your health!
Amuse-toi bien! (Amusez-vous bien!)	Have a good time!
Je te (vous) souhaite...	I wish you...
Félicitations!	Congratulations!
Toutes mes félicitations!	All my congratulations!
Je te (vous) félicite!	Congratulations! (I congratulate you!)
Chapeau!	Great! (to show admiration)
Bravo!	Great! (to show admiration)
Bonne soirée!	Have a nice evening!
Bon voyage!	Have a nice trip!
Bon appétit!	Enjoy your meal!
Joyeux Noël et bonne année!	Merry Christmas and a happy New Year!
Bonnes vacances!	Have a nice vacation!
Tous mes voeux de bonheur!	My best wishes for happiness!

J. Notre avenir. Discutez des projets que vous avez pour l'avenir. Votre partenaire réagira de façon pertinente. Quand vous aurez terminé un des échanges, trouvez un autre partenaire. Notez le nom de chaque étudiant(e) à qui vous parlez et indiquez son projet.

> MODELE: A: Demain, c'est mon anniversaire.
> B: Félicitations! Qu'est-ce que tu vas faire?
> A: J'irai au restaurant avec ma famille.
> B: C'est chouette, ça! Amuse-toi bien!

	Nom	Projet
les vacances prochaines	_____	_____
le week-end prochain	_____	_____
ce soir	_____	_____
demain	_____	_____

Maintenant, dites aux autres étudiants ce que vous avez découvert. Les autres réagiront d'une façon appropriée.

> MODELE: A: Demain, c'est l'anniversaire de Jeanne. Elle ira au restaurant avec sa famille.
>
> Classe: — Félicitations, Jeanne!
> — Tu as de la chance!
> Etc.

COMMENT MONTRER QU'ON EST D'ACCORD OU PAS D'ACCORD

L'expression des sentiments indique souvent si l'on est d'accord ou pas d'accord avec quelque chose. Avant de montrer ce qu'on ressent, il faut donc utiliser une petite phrase pour signaler la réaction qu'on va avoir. Voici quelques exemples qui vous aideront à réagir d'une façon appropriée aux opinions des autres. Vous remarquerez que la surprise est un moyen de signaler la contradiction.

> — Je ne peux pas comprendre pourquoi Monique a décidé d'abandonner ses études. Elle semblait vouée à la médecine.
> — **Ça t'étonne, toi? Pas moi! Moi, je** pense qu'elle faisait ça pour plaire à ses parents.
> — **Pourquoi tu dis ça? Je trouve que** son enthousiasme était tout à fait sincère.
> — **Au contraire.** Elle n'aimait pas tellement ses cours.
> — **Bon, d'accord, mais par contre** elle adorait son travail à l'hôpital.
> — **Peut-être. Mais** c'est parce que ça lui donnait l'occasion de travailler avec des gens, pas parce qu'elle s'intéressait vraiment à la médecine.
> — Et maintenant elle va se lancer dans les affaires. Je trouve ça tout à fait bizarre.
> — **Quelle drôle de réaction!** Moi, je pense que c'est parfait pour elle. Après tout, ça lui donnera l'occasion de voyager beaucoup et d'utiliser son anglais, ce qui a toujours été sa passion.

EXPRESSIONS UTILES POUR EXPRIMER
SON ACCORD OU SON DESACCORD

Je ne suis pas d'accord avec toi (vous). Je trouve que…	I don't agree with you. I think that…
Au contraire. C'est…	On the contrary. It's…
Pas du tout. C'est…	Not at all. It's…
Pourquoi tu dis (vous dites) ça? Je trouve que…	Why do you say that? I think that…
Je ne sais pas pourquoi tu dis (vous dites) ça? Je pense que…	I don't know why you say that. I think that…
Bon, d'accord, mais par contre…	Okay, but on the other hand…
Moi, je trouve ça…	I think that this…
Quelle drôle de réaction! Moi…	What a strange reaction! I…
Je suis d'accord. C'est vraiment…	I agree. It's really…
Pourquoi as-tu (avez-vous) l'air si étonné?	Why are you so surprised?
Ça t'étonne, toi? (Ça vous étonne, vous?). Pas moi! Moi, je…	Does that surprise you? Not me! I…
Peut-être. Mais…	Maybe. But…
Tu trouves (Vous trouvez)? Mais…	Do you really think so? But…

K. Des manchettes de journaux. Voici une série de manchettes de journaux. Un membre du groupe va donner une réaction très courte, et les autres étudiants réagiront selon leurs sentiments.

MODELE: — C'est curieux, ça!
            — Pas du tout. C'est tout à fait logique.

Le Jihad islamique libère un otage américain du Liban

Challenger : l'autopsie d'une catastrophe

Le temps de dire ouf dans les fast food

"Oui, je suis communiste… et alors !"

Fidel Castro :

Immigration : la France prend des mesures

ZOMBIES LES MORTS REFONT SURFACE POUR CONSOMMER ET ELIMINER DU VIVANT

L. Une lettre à l'éditeur. Lisez la lettre suivante et réagissez à ce que vous avez lu. Les autres vous diront si oui ou non ils sont d'accord avec votre réaction.

Lettres.
Un socialisme à la française

La France est un des rares pays qui ait eu le privilège d'un socialisme de choix — c'est-à-dire, non pas une réaction brutale à un capitalisme décadent, non pas une anti-dictature... mais un socialisme émanant de la maturité sociale de tout un peuple. Un socialisme intellectuel et de combat: Un socialisme intellectuel désireux de partager la culture avec ses masses; un socialisme de combat conscient de défier un capitalisme mondial.

Enfin les Français peuvent être fiers d'une politique qui leur soit propre, une politique unique, une politique responsable, honnête et enfin respectée sur le plan international...

Que leur faut-il de plus?

**Joëlle Cochy
San Francisco, CA**

MODELE: A: C'est tout à fait ridicule. Un « socialisme de choix », ça n'existe pas!
B: Je ne sais pas pourquoi tu dis ça. Qu'est-ce que tu sais sur le socialisme, toi?
C: Je suis d'accord avec A... etc.

CHEZ VOUS 3

M. Mon histoire. Décrivez une expérience que vous avez eue (au choix: quelque chose de triste, de bizarre, d'étonnant, d'intéressant, d'amusant).

Quand j'ai 5 ans, je voudraient de nager avec ma grand mère, mais dans la petite — Une fois, elle me pris à la grande — Elle me —

Maintenant, enregistrez votre histoire sur une cassette. Votre professeur va l'écouter et faire des commentaires.

Heureuse et comme Ulysse...

...elle fit un long voyage

« Blanchette, la chatte fidèle qui a parcouru *à pattes* 700 Kms en quatre mois pour retrouver son foyer est arrivée à St. Germain-en-Laye, près de Paris. Epuisée, amaigrie, et sans griffes, elle pose en star pour le photographe. »

C'est tout ce qu'on nous a dit de cette aventure incroyable. Comment et où s'était-elle perdue ? Dans quelles circonstances ? Quel qu'en soit le scénario, l'histoire de Blanchette est sans doute aussi dramatique que son dénouement est merveilleux. Quel ami des bêtes ne se laisserait émouvoir ?

A L'EPREUVE

N. Mon histoire *(suite)*. Racontez l'histoire que vous avez rédigée chez vous à vos partenaires. Le premier partenaire va réagir, le deuxième va expliquer pourquoi il est ou n'est pas d'accord avec cette réaction.

O. Enchaînement. Votre professeur va faire entendre un bulletin d'informations à quelques étudiants. Ces étudiants réagiront et chacun va raconter ce qu'il (elle) a entendu à quelqu'un qui n'était pas là. Le deuxième étudiant réagit et raconte l'histoire à un troisième étudiant qui n'était pas là. Et ainsi de suite.

P. Commérages. Inventez quelque chose à dire sur une autre personne et dites-le à votre partenaire. Votre partenaire réagira à la nouvelle et vous indiquerez si oui ou non vous êtes d'accord avec cette réaction.

> MODELE: — Jean-Marc s'est disputé avec sa fiancée.
> — C'est pas vrai!
> — Pourquoi as-tu l'air si étonné? Tu sais qu'ils ont toujours eu des problèmes.

CHEZ VOUS 4

Q. Expression de mes sentiments. Choisissez un film, un vidéo, un livre ou un article de journal que vous connaissez bien. D'abord, résumez brièvement de quoi il s'agit, ensuite donnez votre réaction.

Un _film_ que j'ai vu. / Un _____ que j'ai lu.

Résumé:

Green Card — un homme Français qui habite à New York, et voudrait son Green card marié une femme pour d'être une citoyen.

Mes sentiments:

C'est fantastique! Gérard Depardieu est excellent et le cinématique et (Peter Weir) et excellent.

ET MAINTENANT

R. Expression de mes sentiments *(suite).* Faites le résumé du film, vidéo, etc. à vos camarades et donnez votre réaction. Eux, ils vont indiquer si oui ou non ils sont d'accord avec vos sentiments.

IMPROVISONS!

S. Sondage. Interviewez un(e) de vos camarades pour découvrir quels sujets le (la) laissent indifférent(e) et lesquels provoquent chez lui (ou elle) des sentiments très forts. Indiquez les résultats sur le formulaire et, quand vous aurez terminé, communiquez-les aux autres étudiants de la classe.

MODELE: A: Comment est-ce que tu réagis à la politique?

B: Ça me laisse indifférent.
La politique? Ça ne m'intéresse pas.
ou
La politique? Quand j'y pense, ça m'énerve.
Je déteste discuter de politique!

Pour chaque sujet, votre partenaire doit avoir une façon différente d'exprimer son indifférence ou sa réaction forte (positive +, ou négative -). Quand vous l'aurez interviewé(e), il (elle) fera de même pour vous.

Nom _____

Sujet		Indifférence	Réaction Forte
la politique			✓
l'avortement	*abortion*		✓
l'avenir	*future*		✓
la musique moderne		✓	
la bonne cuisine			✓
le mariage			✓
les mathématiques		✗	
le français		✗	
la musique classique		✗	
les chats			✗
les chiens			✗
les sports		✗	
la poésie			✗
la religion			✗
l'argent			✗

Please

Selon ce que vous avez découvert, faites le portrait de votre camarade. Par exemple: Claudine est très indépendente; elle ne s'intéresse pas du tout au mariage. Par contre, elle semble avoir des tendances intellectuelles parce qu'elle adore la musique classique, la poésie, les mathématiques et le français. Mais elle déteste les sports. Etc.

Portrait de _____

_____

_____

_____

_____

_____

_____

Présentez vos conclusions à la classe entière.

ALLEZ-Y!

Dans ce chapitre vous avez appris à exprimer vos sentiments et à commenter les réactions des autres. Pour réagir convenablement, il faut d'abord écouter attentivement ce qu'on vous dit, et ensuite il faut réagir pour indiquer que vous vous intéressez à ce qu'on dit. Pour terminer cette leçon, on va vous demander de refaire un exercice du début (comme ça vous pourrez voir ce que vous avez appris) et de dresser une liste d'expressions utiles pour exprimer les sentiments (comme ça vous pourrez la consulter à l'avenir).

T. Notre avenir *(reprise).* Discutez les projets que vous avez pour l'avenir. Votre partenaire réagira d'une façon appropriée.

vocabulaire Ce que je veux retenir

Chapitre 6

« *A ta place, je...* »

LA VIE
ET
SES ENNUIS

CHEZ VOUS 1

PLANNING STRATEGY

A. Giving and getting advice. Your French friend is having trouble getting or giving advice when speaking English. Imagine a situation (she doesn't get along with one member of her American family, she's having trouble in a class, she has several invitations for the next vacation and can't decide which one to accept, etc.). Suggest two ways she might ask for advice, then show her two different ways someone might give her advice in that situation. Be sure to indicate to her the level of language (formal, informal, slang).

Asking for Advice

1. _____

_____

2. _____

_____

Giving Advice

1. _____

_____

2. _____

_____

A L'ECOUTE

Ecoutez deux ou trois fois les petits dialogues de la Partie 6 de votre bande en vous habituant au rythme de la conversation et en cherchant à identifier les sujets discutés proposés. Ensuite réécoutez les conversations et faites les exercices suivants.

B. Des conseils. Répondez aux questions d'après ce que vous avez entendu sur la Partie 6.

PREMIERE CONVERSATION

1. Pourquoi Hélène a-t-elle besoin de conseils? _____

_____

2. Quels sont les deux conseils principaux que Danielle lui donne? _____

_____

_____

3. Hélène les accepte-t-elle? Pourquoi (pas)? _____

_____

_____

DEUXIEME CONVERSATION

1. De quoi Jean-Michel a-t-il besoin? Pourquoi? _____

_____

2. Danielle lui donne trois conseils. Lesquels refuse-t-il? Pourquoi?

_____

_____

_____

3. Quel conseil va-t-il suivre?

_____

TROISIEME CONVERSATION

1. Quel est le problème de Danielle? _____

_____

2. Quels deux conseils Hélène lui donne-t-elle? _____

_____

3. Et Jean-Pierre? _____

_____

4. Danielle accepte-t-elle le(s) conseil(s) de ses amis? Expliquez. _____

_____

_____

C. Expressions. Trouvez dans les conversations au moins deux expressions qu'on utilise pour demander un conseil et quatre expressions qu'on utilise pour donner un conseil.

1. Pour demander un conseil

_____

_____

2. Pour donner un conseil

_____

_____

_____

_____

LES MATIERES PREMIERES (VOCABULAIRE ET RENSEIGNEMENTS)

D. On se plaint beaucoup. Certes, la vie pose parfois de gros problèmes: la guerre, les catastrophes naturelles, les accidents, le divorce, la ruine, etc. Mais elle comporte aussi des ennuis moins graves et pourtant assez gênants. Ce sont des soucis sans cesse présents à notre esprit, des choses qui à première vue n'ont pas d'importance universelle et qui importent pourtant beaucoup à la personne en question. Parmi ces ennuis on trouve: l'apparence, l'argent, les peurs, les rapports avec les autres. Sans doute avez-vous entendu des gens se plaindre de ces choses. Faites donc une liste de plaintes habituelles associées aux catégories suivantes:

l'apparence physique

J'ai besoin de maigrir.
Mon nez est trop long.

_____

_____

_____

_____

_____

l'argent

Il me faut un ordinateur, ça coûte $2000 et je n'en ai que 50.
Je viens de perdre mes cartes de crédit.

_____

_____

_____

_____

_____

la peur / les complexes

J'ai peur des chiens.
Moi, j'ai horreur de parler au téléphone.

_____

_____

_____

_____

les rapports avec les autres

Je ne m'entends pas avec ma soeur, elle est très égoïste.
Je me suis disputé(e) avec mon père, il n'a pas voulu que...

_____

_____

_____

_____

E. Quelques conseils. Choisissez dans chaque catégorie de l'exercice **D** une plainte, puis imaginez le conseil que vous pourriez donner à cette personne. N'écrivez pas de phrases complètes, mais notez les mots et les expressions dont vous auriez besoin pour conseiller cette personne.

1. **l'apparence physique**

plainte _Ma nez est trop grande._

conseil _voyez un docteur_

_____

morose (f)
clock

anything
n'importe
quoi

Voici la quantité totale des échanges que vous pouvez consommer chaque jour.

	FEMMES	HOMMES	ADOLESCENTS(*)
■ Fruits	3	4 à 6	4 à 6
■ Légumes . . .	2 (minimum)	2 (minimum)	2 (minimum)
■ Lait	2	2	3 à 4
■ Pain	2 à 3	4 à 5	4 à 5
☐ Matières grasses	3	3	3
■ Protéines . . .	8	8 à 10	8 à 10

(*) filles de 10 à 15 ans et garçons de 10 à 17 ans.

« OPTIONS FACULTATIVES » pour tous
Dans les listes d'aliments proposés, vous pouvez ajouter :
1) CHAQUE JOUR : 50 calories
2) DEUX FOIS PAR SEMAINE : 100 calories.

RECOMMANDATIONS IMPORTANTES
- Faites 3 repas complets par jour.
- Les collations, ou en-cas, sont facultatifs. N'oubliez pas de les prévoir et de les « comptabiliser » dans les bilans alimentaires journaliers que nous mettons à votre disposition.
- Mangez au moins 2 échanges PROTEINES le midi et 2 le soir.

2. **l'argent**

plainte _j'ai un notice pour 50 francs, mais j'ai 30 francs_

conseil _vent les choses de mes camrades de chambre_

3. **la peur / les complexes**

plainte _j'ai peur de shampoo_

conseil _lavé toi-meme avec_

4. **les rapports avec les autres**

plainte _mes amis ne m'aiment pas parce que j'ai un ~~tarantula~~ doberman_

conseil _____

ENTRE NOUS 1: COMMENT DONNER DES CONSEILS

F. On se plaint beaucoup *(suite).* En travaillant avec quelques autres étudiants, dressez une liste de plaintes associées aux quatre catégories de l'exercice **D**: l'apparence, l'argent, la peur/les complexes, les rapports avec les autres. Ensuite comparez les listes à celles des autres groupes.

LES CONSEILS

On se trouve souvent en train d'écouter les plaintes, le récit des ennuis d'un(e) ami(e), d'un membre de sa famille ou (moins souvent sans doute) d'une personne qu'on connaît. Il arrive aussi que cette personne demande un conseil ou qu'on se sente obligé d'en offrir un. Voici quelques expressions qui vous aideront quel que soit le rôle que vous jouiez—celui de la personne qui demande des conseils ou celui de la personne qui en donne.

POUR DEMANDER UN CONSEIL

Si on veut les conseils de quelqu'un, on peut les lui demander directement:

— Je ne sais pas en quoi me spécialiser. Je suis très forte en math et en sciences, mais j'aime beaucoup les beaux-arts, surtout la peinture. **Quel conseil me donneriez-vous?**

— Jean-Pierre m'a invitée à aller faire du ski dans les montagnes. Mais mes parents ne veulent pas que je parte pour le week-end avec lui. **Que ferais-tu à ma place?**

— Mes cours sont assez difficiles ce semestre. Mais si je ne gagne pas un peu d'argent, je ne pourrai pas continuer mes études au printemps. J'ai envie de trouver un travail à mi-temps. **Qu'est-ce que tu en penses?**

Ou bien on peut laisser savoir indirectement qu'on a besoin de conseils:

— Mon camarade de chambre est vraiment dégueulasse. Il ne se lave pas, il jette ses vêtements partout et il veut regarder la télé à 1h du matin. **Je ne sais pas ce que je vais faire.**

memomemom

EXPRESSIONS UTILES POUR DEMANDER DES CONSEILS

Quel conseil me donnerais-tu (donneriez-vous)?	What advice would you give me?
Qu'est-ce que tu me conseillerais (vous me conseilleriez)?	What would you advise?
Qu'est-ce que tu en penses (vous en pensez)?	What do you think about that?
Que ferais-tu (feriez-vous) à ma place?	What would you do if you were me?
A ton (votre) avis, qu'est-ce que je devrais faire?	In your opinion, what should I do?
Je ne sais pas ce que je vais faire.	I don't know what I'm going to do.
Je ne vois pas de solution.	I don't see any solution.

G. Oui, quel conseil lui donnerais-tu? La première personne invente un petit ennui associé à la catégorie indiquée; elle l'explique brièvement et demande un conseil à un membre du groupe en utilisant l'expression donnée. La troisième personne refait la demande en faisant les transpositions nécessaires.

MODELE: apparence / conseil

> — A à B: Mes cheveux sont toujours en désordre. J'ai l'air d'un fou. Quel conseil me donnerais-tu?
>
> C à B: Oui, quel conseil lui donnerais-tu?

1. argent / conseiller
2. peur / devoir faire
3. rapports avec les autres / à ma place
4. apparence / penser
5. argent / solution
6. rapports avec les autres / conseil

POUR DONNER UN CONSEIL: EXPRESSIONS GENERALES

Il y a plusieurs façons de donner des conseils et un grand nombre d'expressions qu'on peut utiliser. Il est peut-être utile d'organiser ces expressions selon leur structure grammaticale. D'abord, on peut employer une forme du mot **conseil** et un infinitif:

> — Je suis très confus. J'ai un collègue...je l'aime bien... mais je crois qu'il est en train de faire quelque chose de malhonnnête.
> — **Je vous conseille de parler tout de suite au directeur.**

> — Je ne sais pas pourquoi, mais je ne fais que manger. Du matin au soir, je suis toujours en train de manger. Je ne peux pas m'arrêter de manger.
> — Eh bien, **le meilleur conseil que je puisse vous donner, c'est de** voir un médecin.

Ou bien on peut donner carrément son conseil en utilisant un impératif:

> — Je suis crevée. Je n'ai pas dormi depuis vingt-quatre heures. J'ai un examen demain, mais je n'arrive pas à garder les yeux ouverts.
> — Alors, **couche-toi!** Tu ne vas pas réussir à ton examen si tu t'endors au milieu.

On utilise souvent le conditionnel, surtout avec **devoir** et certaines autres expressions:

> — Je suis un peu inquiet. Je n'ai pas de nouvelles de ma soeur depuis plus d'un mois. D'habitude elle m'écrit deux ou trois fois par mois.
> — **A mon avis, tu devrais lui téléphoner.** Elle est peut-être malade.

> — Qu'est-ce que je vais faire? Mon père a offert de me payer un voyage en Europe cet été, mais au restaurant où je travaille on veut que je commence à plein temps tout de suite après la fin des cours.
> — **A ta place, moi, j'irais en Europe.** Tu pourras chercher du travail après ton retour.

> — Nous allons passer par Megève pour aller à Chamonix.
> — **Vous feriez bien de vous renseigner.** J'ai entendu dire que la route était coupée.

Ou bien on emploie des expressions qui sont suivies du subjonctif:

> — Je voudrais passer du temps dans la Gironde. Mais je ne connais pas très bien la région.
> — **Je recommande que** vous écriviez au syndicat d'initiative.

— Comment! Nous ne sommes que mardi et il ne me reste que cinq dollars pour la semaine. Où est-ce que j'ai tout dépensé?
— Ecoute. **Il faut que** tu fasses un effort pour faire des économies. Autrement tu ne pourras pas rester à l'université.

Ou bien on peut faire une suggestion en utilisant **si** et un verbe à l'imparfait:

— J'ai un examen très important demain, mais je suis tellement fatigué.
— **Si tu essayais de dormir un peu.** Tu pourras préparer ton examen après.

EXPRESSIONS GENERALES POUR DONNER DES CONSEILS

INFINITIF

Je te (vous) conseille de...	I advise you to...
Le meilleur conseil que je puisse te (vous) donner, c'est de...	The best advice I can give you is to...
Si je peux donner un conseil, c'est de...	If I can give you some advice, it is to...
Tu n'as (Vous n'avez) qu'à...	All you have to do is to...
Que dirais-tu (diriez-vous) de...?	What do you say about...?

CONDITIONNEL

A mon avis, tu devrais (vous devriez)...	In my opinion, you should...
A ta (votre) place, moi, je...	If I were you, I...
Tu ferais (Vous feriez) bien de...	You would do well to...

SUBJONCTIF

Je recommande que ...	I recommend that...
Il est important que ...	It is important that...
Il faut que...	It is necessary that...
Je propose que...	I suggest that...

SI + VERBE À L'IMPARFAIT

Si vous (tu) ...	Why don't you...

IMPÉRATIF

H. A mon avis... La première personne explique sa situation d'après les renseignements donnés; les autres lui donnent des conseils en utilisant chacun(e) une expression différente.

MODELE: acheter une voiture/une Ford ('87) ou une Cadillac décapotable ('65)

A: Quelle décision! Je vais m'acheter une voiture...J'ai deux possibilités: une Ford toute neuve ou une vieille Cadillac décapotable.
B: A mon avis, tu devrais acheter la Ford. Elle est plus pratique.
C: Non. A ta place, moi, j'achèterais la Cadillac. C'est vraiment une voiture extraordinaire.
D: C'est possible. Mais tu ferais bien de te renseigner sur l'état de la Cadillac avant de l'acheter.

1. trouver du travail/IBM ($26,000 par an) ou une petite maison de publicité ($22,000 par an)
2. manger/partager un appartement avec deux amis qui ne savent pas cuisiner/habiter seul(e) et dîner au restaurant
3. peur des chiens/mordu(e) quand vous étiez petit(e)/votre petit(e) ami(e) les adore, veut en acheter un ou deux
4. vouloir perdre du poids/adorer les desserts et les sauces

I. Quelques conseils *(suite)*. Pour faire cet exercice, vous allez utiliser ce que vous avez préparé chez vous pour l'exercice **E.** A tour de rôle, chaque membre du groupe se plaint de quelque chose et demande un conseil; les autres membres du groupe lui donnent une variété de conseils. Variez autant que possible les expressions que vous utilisez pour demander et pour donner des conseils.

CHEZ VOUS 2

J. Quelques petits ennuis. Mettez-vous à la place des personnes suivantes en imaginant la façon dont vous allez demander des conseils: il s'agit de vous plaindre en résumant votre situation et ensuite de demander qu'on vous donne un avis. Imaginez aussi les conseils que vous donneriez à chaque personne. N'écrivez pas de phrases complètes, mais notez les mots et les expressions les plus importants.

1. Il est 5h du soir. Une femme a invité des gens à dîner ce soir. Elle est toujours au bureau où elle travaille, sa maison est en désordre et elle n'a rien préparé pour le repas.

_____

_____

_____

_____

2. Un jeune homme a demandé à une jeune femme de sortir avec lui. Il a proposé qu'ils dînent en ville, mais il se rend compte qu'il n'a que très peu d'argent.

_____

_____

_____

3. Une étudiante a une camarade de chambre qui écoute sa stéréo jusqu'à 2h du matin...pendant qu'elle fait ses devoirs, qu'elle mange, qu'elle téléphone à ses amis, etc. L'étudiante a beaucoup de mal à dormir, à faire ses devoirs, etc.

_____

_____

_____

4. Deux adolescents ont un père et une mère qui travaillent. Le père ne rentre pas avant 9h du soir et retourne au bureau pendant le week-end; la mère s'occupe du travail de la maison et, par conséquent, elle est toujours très fatiguée.

_____

_____

_____

ENTRE NOUS 2: ENCORE DES CONSEILS

ZOO-SERVICE
par le docteur-vétérinaire Jean Verron

(Suite de la page 23.)

● QUESTION : J'ai un dogue allemand âgé de six mois que je voudrais faire dresser. Quels conseils pouvez-vous me donner? (M. J. D..., 12-Rodez.)

Réponse : Vous ne me donnez pas les raisons qui vous incitent à faire dresser votre dogue. Le faites-vous par passion d'un sport, qui a en France de nombreux amateurs, ou par nécessité, c'est-à-dire pour garder une propriété, voire pour que l'animal puisse éventuellement défendre ses maîtres? Quoi qu'il en soit, rappelez-vous qu'un chien dressé à l'attaque et à la défense représente toujours un danger potentiel dont son propriétaire doit

avoir une conscience aiguë. La moindre erreur de commandement, le plus léger relâchement dans l'autorité du maître sur un animal dressé peuvent avoir des conséquences dramatiques.

● QUESTION : Mon cocker, âgé de onze ans, est atteint d'une arthrose chronique du genou droit qui le fait beaucoup souffrir. Y a-t-il un traitement efficace de cette affection? (Mme M. D...., 17-La Rochelle.)

Réponse : Il n'existe pas (hélas!) de médicament miracle de l'arthrose. Les anti-inflammatoires non stéroïdiens et stéroïdiens soulagent temporairement le ma-

lade sans pour autant pouvoir lui procurer une guérison totale et définitive. Veillez à ce que votre cocker ne prenne pas de poids.

● QUESTION : Notre fox âgé de dix-sept ans présente sous le ventre une grosse tumeur qui s'est ulcérée et qui saigne. Que pouvons-nous faire? (Mme E. G..., 71-Chalon-sur-Saône.)

Réponse : Si votre vieux chien présente souvent d'importantes pertes de sang, la seule solution consiste à le faire opérer de sa tumeur. Les interventions chirurgicales pratiquées sur des animaux très

âgés présentent évidemment de gros risques, mais elles doivent parfois être tentées.

● QUESTION : Je voudrais l'adresse d'un vétérinaire spécialiste en ophtalmologie, car mon chien, âgé de onze ans et demi, est atteint de cataracte et je désirerais le faire opérer dans de bonnes conditions. (Mme S. D...., 34-Cor[...]baillaux.)

Réponse : Je vo[...] conseille d'écrire au S[...]dicat national des Vé[...] naires urbains, 10, [...] Léon-Blum, 75011 [...] Cet organisme vous [...] nera les adresses d[...] cialistes suscep[...] d'opérer votre chien.

★ DU COQ A L'ANE ★
(Suite de la page 23.)

tement des Alpes-Maritimes sont de plus en plus nombreux. L'Association « Assistance aux animaux » n'hésite pas à parler de surpopulation dans les refuges du département et lance un véritable cri d'alarme. 900 chats et 500 chiens sont actuellement sans propriétaire, et l'on arrive à la situation critique de 10 chats à placer pour seulement un ou deux foyers d'adoption disponibles.

● En dépit de l'interdiction signifiée par une directive européenne d'abattre les tourterelles au printemps, deux cents chasseurs ont entamé une campagne de chasse dans le Médoc. Différentes Associations de protection de la Nature se sont élevées contre cette initiative.

● Les animaux abandonnés dans le dépar-

K. Quelques petits ennuis *(suite).* Un membre du groupe joue le rôle d'une personne décrite à l'exercice **J;** les autres étudiants donnent des conseils à cette personne.

memomemomemomor

EXPRESSIONS POUR CONSEILLER TOUT EN REAGISSANT

APPROBATION

Vas-y! (Allez-y!)	Go ahead!
Bravo!	Great!
N'hésite (N'hésitez) pas.	Don't hesitate.

PRUDENCE

Doucement!	Easy!
Prends (Prenez) garde.	Be careful.
Attention!	Careful!
Pas si vite!	Not so fast!

DÉCOURAGEMENT

Ne vous en mêlez pas.	Don't get involved.
Je te (vous) déconseille (de)...	I would advise you not to...
Je te (vous) conseille de ne pas...	I would advise you not to...
Ne te fie (vous fiez) pas à...	Don't trust...
Il ne faut pas...	(You) must not...
Ce n'est pas la peine de...	It's not worth...

Il arrive que les conseils qu'on donne prennent la forme non pas de suggestions mais plutôt de réactions à ce que quelqu'un d'autre a dit ou a proposé. Il est possible que vous vouliez encourager cette personne:

— Comme je te disais, je n'ai pas eu de nouvelles de ma soeur depuis plus d'un mois. Je vais lui téléphoner.
— C'est une bonne idée. **Vas-y!**

— Bon, c'est décidé. J'en ai assez de ne pas pouvoir mettre mes vêtements de l'été dernier. Demain je commence à faire du jogging.
— **Bravo!** Tu verras. Dans un mois tu te sentiras beaucoup mieux.

Ou bien vous voudrez peut-être conseiller la prudence:

— Il nous faut un ordinateur. Les Apple sont en solde. Je vais en acheter un.
— **Doucement!** Regardons deux ou trois autres marques avant de décider.

— Mélanie ne veut pas déjeuner au restaurant qui se trouve au premier étage de la tour Eiffel. Elle dit qu'elle n'aime pas l'altitude. C'est idiot. Je vais l'obliger à y aller.
— **Prends garde.** Il faut savoir si elle est vraiment acrophobe ou non.

Ou on peut tenir à décourager cette personne:

— Mon père ne va pas permettre à ma soeur d'aller au bal. Et il lui a interdit de sortir avec son petit ami. Je vais dire à mon père qu'il exagère.
— **Ne vous en mêlez pas.** Après tout, votre soeur n'a que treize ans. Votre père a peut-être raison.

L. Doucement! La première personne explique la situation d'après les indications données. La seconde personne donne son approbation; la troisième conseille la prudence ou bien elle essaie de décourager la première personne.

> MODELE: suivre un régime — ne manger que du pamplemousse
>
> > A: Je vais suivre un nouveau régime. Je ne vais manger que du pamplemousse.
> > B: Vas-y! C'est bien. Dans quinze jours tu auras perdu dix kilos, au moins.
> > C: Prends garde. Tu devrais consulter un médecin d'abord.

1. acheter une motocyclette
2. inviter un homme (une femme) qui a dix ans de plus que vous à sortir avec vous
3. courir un marathon

M. «Je vous écoute!» Ecoutez l'émission radiophonique que le professeur fera jouer pour vous. Là vous entendrez un(e) conseiller (conseillère) professionnel(elle) qui répondra aux questions des auditeurs. Trois personnes téléphoneront pour parler de leurs ennuis; le(la) conseiller(conseillère) essaiera de donner des conseils. Pour chaque conversation, complétez le schéma suivant.

PREMIERE CONVERSATION

1. Qui téléphone? _____

_____

2. Quel est son problème? _____

_____

_____

3. Quels conseils est-ce qu'on lui donne? _____

_____

_____

_____

DEUXIEME CONVERSATION

1. Qui téléphone? _____

_____

2. Quel est son problème? _____

_____

_____

3. Quels conseils est-ce qu'on lui donne? _____

_____

_____

_____

TROISIEME CONVERSATION

1. Qui téléphone? _____

_____

2. Quel est son problème? _____

_____

_____

3. Quels conseils est-ce qu'on lui donne? _____

_____

_____

_____

CHEZ VOUS 3

N. "Je vous écoute!" *(suite).*   Préparez-vous à téléphoner pour demander des conseils à la radio. Vous pouvez parler d'un problème que vous avez ou vous pouvez inventer un personnage et un problème. Si vous avez du mal à penser à quelque chose, vous voudrez peut-être consulter « le courrier du coeur » (Ann Landers, Dear Abby, etc.) qu'on trouve dans les journaux. N'écrivez pas de phrases complètes, mais notez les mots et les expressions les plus importants.

A L'EPREUVE

O. « Je vous écoute » *(fin).*   La classe sera divisée en auditeurs et en conseillers. Si vous êtes auditeur (auditrice), téléphonez pour parler de votre problème; si vous êtes conseiller (conseillère), écoutez votre auditeur (auditrice), puis donnez-lui des conseils.

P. Les conseils d'un(e) ami(e).   Vous recevrez une fiche sur laquelle vous trouverez la description d'un problème. Circulez dans la classe en demandant à plusieurs étudiants leur avis. Enfin réunissez-vous avec quelques camarades pour parler des conseils que vous avez reçus.

CHEZ VOUS 4

Q. Le courrier du coeur.   Vous trouverez à la page 96 des extraits du courrier du coeur. Les trois exemples ne comprennent que la lettre du correspondant; c'est à vous d'inventer la réponse. Notez les mots et les expressions qu'il vous faudra (pas de phrases complètes) pour en parler avec vos camarades en classe.

_____

_____

_____

_____

_____

J'ai dix-sept ans et je suis un garçon qui a besoin de comprendre la vie. Depuis mon plus jeune âge, mes parents se désintéressent de moi et me laissent faire ce que je veux. Très tôt, je me suis replié sur moi-même et je restais enfermé dans ma chambre, devenant de plus en plus complexé. Je n'avais jamais personne pour m'encourager à vivre. Je me sentais inférieur et malheureux.

Je n'ai pas d'amis, car je ne comprends pas les gens de mon âge. Les garçons, c'est seulement le baratin, les « Mobs », les bagnoles, la bagarre. Ça ne m'intéresse pas et les autres se moquent de moi. Les filles, je n'en connais pas. Bientôt, je vais travailler. Je suis actuellement dans un Centre de formation d'apprentis comme mécano. C'est un métier qui ne m'attire pas et, de toute façon, je suis mécanique, c'est parce que mon père travaille dans un garage et que je pensais ainsi me rapprocher de lui. Mais ça ne sert à rien.

Je reste seul dans mon coin et je regarde les autres vivre, s'amuser, s'aimer. Quand je vois des gens heureux, je suis content pour eux, mais j'ai envie de pleurer. Moi, si je continue à vivre, c'est grâce à la musique. Comme je suis en apprentissage, je perçois une petite paie et je m'achète beaucoup de disques. En les écoutant, je rêve de bonheur, de joie, cela m'encourage. Je voudrais sortir de la peur où je suis et comprendre le Monde

Alain

a 23 ans. Il est gentil, sincère, mais ma
ère désapprouve nos relations. Elle dit que
e suis trop jeune pour me fixer, que je serai
alheureuse avec un cultivateur. Il faudra que
ous vivions avec ses parents. Sa mère voudra
me commander. Deux générations ne peuvent pas
s'entendre. Que faire? Je ne sais plus où
j'en suis, qui écouter. Nous voudrions essayer
de vivre ensemble, pour voir.

Patricia, 21 ans

Je vis chez un de mes frères. Il est brutal. Quand il a une contrariété, il me maltraite, me frappe. La police ne veut pas s'en occuper. L'assistante sociale ne peut pas grand-chose. Mon père veut bien me payer le loyer d'un petit studio, mais il me faudrait un emploi, et je n'ai aucune qualification ni référence. Pouvez-vous m'aider? En attendant, je vis dans la peur que mon frère ne fasse du mal.

Elisabeth

ET MAINTENANT

R. Le courrier du coeur *(suite).* Vous allez comparer vos réponses aux lettres des correspondants (exercice **Q**) avec celles de vos camarades. Essayez de vous mettre d'accord sur les meilleurs conseils à donner à chaque correspondant.

IMPROVISONS!

S. J'ai un(e) ami(e) qui... Pensez à des gens que vous connaissez—des amis, des membres de votre famille, vous-même! Quels ennuis ont-ils en ce moment? Préparez-vous à dialoguer avec un(e) autre étudiant(e) à partir des répliques suivantes:

1. J'ai un(e) ami(e) qui...
2. Mon (ma)...
3. Je connais un homme (une femme) qui...
4. Moi, je...

Votre camarade vous posera des questions afin de pouvoir offrir des conseils à la personne dont il s'agit.

Dans ce chapitre vous avez appris à demander et à donner des conseils. Vous savez aider les autres à résoudre leurs petits problèmes en proposant des solutions ou en réagissant aux solutions qu'ils suggèrent. Pour terminer cette leçon on va vous demander de reprendre les sujets du début (comme ça vous pourrez voir ce que vous avez appris) et de dresser une liste d'expressions utiles pour demander et pour donner des conseils (comme ça vous pourrez la consulter dans l'avenir).

T. On se plaint beaucoup *(reprise).*   Vous et votre partenaire, vous choisirez chacun(e) une des catégories suivantes: l'apparence, l'argent, la peur/les complexes, les rapports avec les autres. Vous penserez à un ennui que vous avez qui se rapporte à la catégorie de votre choix, vous en parlerez à votre partenaire en lui demandant des conseils. Votre partenaire vous en donnera, ensuite il(elle) vous parlera de son problème.

Chapitre 7

COMMENT FAIRE DES PROJETS

« Si on allait... »

LES
VOYAGES

CHEZ VOUS 1

PLANNING STRATEGY

A. Organizing a trip. Your French friend will soon be involved in planning a trip with a group of foreign students whose common language is English. She asks you for some expressions to use in: 1) indicating her preference as to places to visit; 2) setting up an itinerary; and 3) dividing responsibilities (proposing what she can do, getting others involved in the planning). You suggest some useful expressions for each area.

1. _I'd like to..._
   If it's possible, I would like...
2. _What shall we do first?_
   Do we have an order of preference?
3. _I will..._
   Would you like to...

A L'ECOUTE

Ecoutez deux ou trois fois les deux conversations de la Partie 7 de votre bande en vous habituant au rythme de la conversation et en identifiant les sujets discutés. Ensuite réécoutez les conversations et faites l'exercice suivant.

B. Des projets de voyage. Répondez d'après ce que vous avez entendu sur la Partie 7.

PREMIERE CONVERSATION

1. Au début les trois personnes ne sont pas d'accord. Quelle(s) région(s) chaque personne voudrait-elle visiter?

   Danielle _____

   Nicole _____

   Jean-Michel _____

2. Quelle solution trouvent-ils? _____

   _____

3. Trouvez quelques expressions qu'ils utilisent...

pour proposer une destination ou pour faire une suggestion: _____

_____

_____

_____

pour réagir à une suggestion: _____

_____

_____

SECONDE CONVERSATION

4. Complétez l'itinéraire qu'ils fixent:

lundi _____

mardi _____

mercredi _____

jeudi _____

vendredi, samedi, dimanche (possibilités) _____

_____

5. Comment va-t-on partager les responsabilités?

Danielle _____

Nicole _____

Jean-Michel _____

6. Trouvez quelques expressions qu'ils utilisent pour...

demander à quelqu'un de faire quelque chose: _____

_____

_____

pour accepter une responsabilité: _____

_____

_____

LES MATIERES PREMIERES (VOCABULAIRE ET RENSEIGNEMENTS)

C. **Pour trouver un compagnon (une compagne) de voyage.** Quand on voyage, il est plus agréable d'être accompagné de gens avec qui on s'entend, de gens qui partagent vos intérêts et dont les habitudes personnelles ne vous gênent pas. Mais pour trouver un bon compagnon (une bonne compagne) de voyage il faut d'abord vous connaître. Commencez donc par compléter le questionnaire suivant qui a pour but de vous rendre conscient(e) de vos habitudes et de vos préférences.

BULLETIN D'INSCRIPTION

A retourner à: MONDE-VOYAGES
B.P. 19 75010 PARIS

Ce bulletin doit être rempli par le voyageur. Il est primordial de fournir des renseignements aussi précis que possible afin de nous aider à vous trouver un compagnon (une compagne) de voyage qui vous convienne parfaitement.

VOYAGEUR
NOM _O'BRIEN_ PRENOM _CHRISTIANE_ SEXE _F_
ADRESSE _BOX 855 - CORNELL COLL_
_____ N° DE TEL. _895-5509_
DATE DE NAISSANCE _6-18-69_ AGE _21_
PROFESSION _étudiante_

HABITATION

Maison ☐ Appartement ☐ Résidence universitaire ☑

Animaux: _____

SANTE

Allergies: _les chats_

Régime alimentaire particulier: _____

Plats à éviter: _____

Plats favoris: _____

INTERETS

Sports et activités de plein air pratiqués (faire suivre de « R » si régulier):

_____

_____

Activités d'intérieur (faire suivre de « R » si régulier):

_____

✗ Activités artistiques (musique, théâtre, etc.):

_____

_____

✗ Intérêts culturels (concerts, musées, films, visite des monuments, etc.)

_____

_____

Autres: _____

_____

ETUDES

	Nom de l'école	Nombre d'années
Lycée	*Hinsdale Central*	*4*
Université	*Cornell Coll.*	*4*

LANGUES

	Nombre d'années d'études	Niveau (bon, moyen, faible)
Allemand		
Français	*8*	*bon - moyen*
Espagnol		

CARACTERE

Gai ☐   Timide ☑   Influençable ☐   Travailleur ☐

Paresseux ☐   Volontaire ☐   Sociable ☐

Fantaisiste ☑   Méthodique ☐   Sérieux ☐

DIVERS

Tabac   Oui ☐   Non ☑

Alcool   Oui ☑   Non ☐

Sorties nocturnes   Oui ☐ *✓*   Non ☐

A quelle heure vous couchez-vous d'habitude? *10 ou 11*

A quelle heure vous levez-vous d'habitude? *7 ou 8*

Avez-vous déjà voyagé à l'étranger?   Oui ☐   Non ☑

Où _____

Quand _____

Quels pays voudriez-vous visiter? _____

_____

Je joins à ce bulletin d'inscription 1 chèque de 100 F et 2 photos.

Fait à _____ Le _____ Signature *Christiane O'Brien*

D. Comment voyager?   Selon votre situation financière et selon vos préférences, vous pouvez voyager en avion, par bateau, par le train, en autocar, à vélo, en auto; vous pouvez faire de l'auto-stop ou aller à pied. De même, vous pouvez descendre dans un hôtel de luxe, dans un hôtel une ou deux étoiles, dans un petit hôtel sans étoiles; ou bien vous pouvez passer la nuit dans une auberge de jeunesse ou faire du camping. Choisissez **trois** moyens de transport (avion, bateau, train, autocar, vélo, auto, auto-stop, à pied) et **trois** catégories de logement (hôtel de luxe, hôtel une ou deux étoiles, hôtel sans étoiles, auberge de jeunesse, camping) et complétez les diagrammes suivantes en y mettant des mots ou des expressions que vous y associez. (Ne vous limitez pas aux substantifs; donnez aussi des verbes et des adjectifs.)

BATEAU

LA MER	JOUER	LA MAL DE MER	MANGER
CALME	AU DECK TENNIS	VOMIR	5 REPAS
HOULEUSE	NAGER	RESTER DANS SA CABINE	PRENDRE DU POIDS

ENTRE NOUS 1: VOUS ET LES VOYAGES

E. Pour trouver un(e) compagnon (compagne) de voyage *(suite).* Vos amis ne sont pas disponibles; vous devez donc chercher deux nouveaux compagnons (deux nouvelles compagnes) de voyage. Circulez dans la classe en posant des questions afin de trouver deux personnes avec qui vous pourrez vous entendre. Suggestion: inspirez-vous de vos réponses au questionnaire pour choisir les questions qui vous sont les plus importantes.

F. Comment voyager *(suite).* Un(e) étudiant(e) choisit un moyen de transport ou une catégorie de logement. On fait une liste de tous les mots qu'on a associés à ce moyen de transport dans les pyramides préparées à la maison. Puis le groupe parle des avantages et des inconvénients de ce moyen de transport ou de cette catégorie de logement. On continue à parler, chaque personne prenant la parole à tour de rôle pour une ou deux phrases, jusqu'à ce que tous les membres du groupe aient parlé. Ensuite on propose un nouveau moyen de transport ou une nouvelle catégorie de logement et on continue de la même façon. Le vocabulaire donné ci-dessous sera utile aussi.

Quelques expressions pour parler des avantages et des inconvénients des moyens de transport ou des catégories de logement

cher	rapide	confortable
bon marché	lent	désagréable
gratuit		
sûr	amusant	économique
dangereux	passionnant	pratique
bruyant	ennuyeux	efficace
reposant		
toujours à l'heure	sale	climatisé
souvent en retard	propre	luxueux

POUR SE METTRE D'ACCORD SUR L'ENDROIT A VISITER

Quand on a pris la décision de voyager avec des amis (ou avec des connaissances ou des membres de sa famille), il reste de nombreuses questions à résoudre. D'abord, il faut se fixer sur les endroits qu'on va visiter. Normalement une personne propose un endroit à visiter et ses compagnons de voyage réagissent. Leur réaction peut être affirmative:

> — **Si on allait** en Europe?
> — Moi, **j'aimerais bien.** Et toi?
> — Oui, **je trouve ça très bien.**

Ou bien ils peuvent hésiter:

> — **J'ai une idée.** Que diriez-vous d'un voyage au Brésil?
> — **Euh… je ne sais pas.** Et toi?
> — **Je ne dis pas non, mais…**

Ils peuvent refuser:

> — **Pourquoi pas aller** en Alaska?
> — Non, **ça ne me dit pas grand-chose.** Et toi?
> — **Absolument pas. J'ai horreur des** pays froids.

Ou bien ils peuvent proposer autre chose:

> — **Ça vous dit quelque chose de** visiter Moscou?
> — Oui, **mais j'aimerais mieux** aller à Pékin.
> — Moi, **j'aimerais bien** voir Tokyo.

Mais il faut finir par prendre une décision:

> — **Alors, on va** à Madrid ou à Mexico?
> — **Cela m'est égal.**
> — Oui, **l'un vaut l'autre.**
> — Oui, mais **c'est à vous de décider.**
> — Eh bien, **moi, je vote pour** Madrid.
> — **Je suis d'accord.**
> — Alors, **c'est décidé.** On va à Madrid.

G. Je vous propose... Une personne propose un voyage à l'endroit indiqué. Les autres donnent à tour de rôle leur réaction à cette idée. Variez les expressions que vous utilisez.

MODELE: Paris

> — Allons à Paris.
> — Oui, c'est une bonne idée.
> — C'est possible. Mais je ne sais pas…
> — Moi non plus. J'aimerais bien visiter Londres.
> — Absolument pas. Je suis allée à Londres il y a deux ans.

1. Montréal
2. la Chine
3. l'Afrique
4. Rome
5. le Mexique
6. la Russie

memomemomemomemomemor

EXPRESSIONS UTILES

POUR PROPOSER UN VOYAGE

Si on allait...?	Suppose we went...?
Je te (vous) propose...	I propose...
Pourquoi pas...?	Why not...?
J'ai une idée. Allons...	I've got an idea. Let's...
Que dirais-tu (diriez-vous) de...?	What would you say about...?
Cela te (vous dirait) quelque chose de...?	Would it appeal to you to...?

POUR RÉAGIR AFFIRMATIVEMENT

Oui, c'est une bonne idée.	Yes, that's a good idea.
Je trouve ça très bien.	I think that's very good.
J'aimerais bien...	I would like...
Moi, je ne demande pas mieux.	I'd be very pleased.
Génial!	Great!

POUR MARQUER L'INDÉCISION

C'est possible, mais...	It's possible, but...
Je ne dis pas non, mais...	I'm not saying no, but...
Euh... je ne sais pas.	I just don't know.

POUR RÉAGIR NÉGATIVEMENT

Absolument pas.	Absolutely not.
J'ai horreur de...	I hate...
Je n'aime pas ça.	I don't like that.
Non. J'aimerais mieux...	No, I'd rather...

POUR PRENDRE UNE DÉCISION

Alors, on va à...?	Okay, are we going to...?
C'est à toi (vous) de décider.	It's up to you to decide.
Je vote pour...	I vote for...
Cela m'est égal.	I don't care.
L'un vaut l'autre.	They're both equally all right.
C'est décidé.	It's decided.

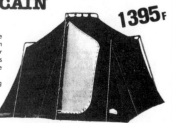

ROCHEFORT 48, rue de Puyravault - 46.99.20.83

TENTES LEGERES

595F

IZOARD
672225 - 2 places. Double-toit polyamide avec enduction aluminisée. Tente intérieure coton et polyamide. Mâts et faîtière alliage léger.
Dim. : l. 110 cm., L. 30 + 190 + 30., H. 100 cm. Poids : 2,5 kg env.

790F

IGLOO G 120
672227 - 3 places. Double-toit polyamide avec enduction aluminisée. Tente intérieure coton et polyamide. Montage sur arceaux en fibre de verre.
Dim. : l. 210 cm., Pro. 160 cm., H. 120 cm. Poids : 3,7 kg env.

1090F

KLONDYKE
672235 - 2 places + 1. Double-toit réversible en polyamide avec enduction aluminisée. Tente intérieure taffetas coton. Façade polyamide. Montage sur arceaux en alliage léger diamètre 8,65 mm.
Dim. : l. 200 cm., Pro. 150 cm., H. 115 cm. Poids : 2,9 kg env.

1150F

ICELAND
672239 - 3 places. Double-toit polyamide avec enduction aluminisée. Tente intérieure coton et polyamide. Montage par arceaux en fibre de verre extérieurs.
Dim. : l. 153 cm., Pro. 214 cm., H. 115 cm. Poids : 3,7 kg env.

1250F

NEVADA
672253 - 4 places. Double-toit polyamide avec enduction aluminisée. Tente intérieure polyamide. Façades avant et arrière avec double porte en tulle moustiquaire. Montage sur arceaux en fibre de verre.
Dim. : 250 x 200 cm., H. 120 cm. Poids : 4,1 kg env.

1490F

AIGOUAL
672258 - 2 places. Double-toit polyamide de enduit. Tente intérieure en taffetas coton et polyamide avec moustiquaire. Façade polyester. Montage sur arceau en alliage léger diamètre 8,65 mm. Abside arrière avec accès par la tente intérieure.
Dim. : l. 200 cm., Pro. 130 cm., H. 115 cm. Poids : 2,7 kg env.

CHEZ VOUS 2

H. Renseignez-vous. Aux pages 109 jusqu'à 116, vous trouverez des documents qui donnent des renseignements touristiques sur trois régions de la France — la Bretagne, le val de la Loire et la Provence. Etudiez ces documents et faites une liste de ce qui vous intéresse dans chaque région—c'est-à-dire, qu'est-ce que vous voudriez voir et faire si vous visitiez la région?

la Bretagne
les megalithes à Carnac
Ville Close
le Mont St Michel
les cathedrales de Quimper

le val de la Loire
le chateau d'Amboise
Azay le Rideau
Chambord
Chartres
Chenonceaux
Chinon

la Provence
Arles
le Palais des Papes
le festival
en Cannes
Grasse parfume
Aix en Provence
Nîmes

renseignments touristiques

TRAIN + Vélo — Les 219 gares ouvertes au service

a Agen
Agde
Aigle (L')
Aix-les-Bains-Le Revard
Aix-en-Provence
Alençon *
Alès
Amboise
Annecy
Antibes
Arcachon
Argelès-Gazost
Argelès-sur-Mer
Argentan
Arles
Auch
Auray
Autun
Auxerre-Saint-Gervais
Avallon
Avignon

Chartres

Langeac

Digne
Dinan
Dinard
Dives-Cabourg
Douarnenez-Tréboul

Millau
Monestier-de-Clermont
Montargis
Montbard
Montbrison

r Rambouillet
Roc-Amadour-Padirac
Rochefort
Rochelle-Ville (La)
Rodez
Romans-Bourg-de-Péage
Roscoff
Royan

Sablé
Sables-d'Olonne (Les)
Saint-Amand-les-Eaux
Saint-Brieuc
Saint-Claude (Jura)
Saint-Dié
Sainte-Menehould
Saint-Flour
Saint-Jean-de-Luz-Ciboure
Saint-Malo
Saint-Marcellin (Isère)
Saint-Nazaire
Saint-Omer
Saint-Raphaël-Valescure
Saint-Sulpice (Tarn)
Sarlat

	1/2 journée	journée
Vélo type traditionnel	16 F	22 F
Vélo type randonneur	22 F	27 F

	3e au 10e jour		à partir du 11e jour	
	1/2 journée	journée	1/2 journée	journée
Vélo type traditionnel	12 F	17 F	8 F	11 F
Vélo type randonneur	17 F	21 F	11 F	14 F

* Prix au 1/4/83.

CATEGORIES		MODELES OU SIMILAIRES		PRIX/JOUR Daily rates	PAR KM Each km
BOITE MECANIQUE / MANUAL TRANSMISSION					
Economique	A ♪	TALBOT SAMBA OPEL CORSA	HT TTC	135,50 180,66	1,57 2,09
Moyenne	B ♪	PEUGEOT 205 RENAULT SUPERCINQ (5 portes)	HT TTC	146,00 194,66	1,80 2,39
	C ♪	RENAULT 11 PEUGEOT 309 OPEL KADETT	HT TTC	166,00 221,33	2,14 2,85
Routière	D ♪	PEUGEOT 505 CITROEN BX	HT TTC	218,50 291,33	2,61 3,47
	R ♪	RENAULT 25	HT TTC	251,00 334,66	3,04 4,05
	E ♪	MERCEDES 190 E	HT TTC	302,50 403,33	3,40 4,53
BOITE AUTOMATIQUE / AUTOMATIC TRANSMISSION					
Moyenne	F ♪	RENAULT 9 RENAULT SUPERCINQ	HT TTC	166,00 221,33	2,14 2,85
	G ♪	RENAULT 11 OPEL KADETT	HT TTC	218,50 291,33	2,61 3,47
Routière	H ♪	RENAULT 25	HT TTC	302,50 403,33	3,40 4,53
Luxe	I ♪	RENAULT 25 V6 MERCEDES 190 E	HT TTC	337,00 449,33	3,59 4,78
	J ♪	MERCEDES 280 SE	HT TTC	567,00 755,99	5,89 7,85
GAMME SPECIALE / SPECIAL GROUPS					
Speciale	K ♪	PEUGEOT 205 GTI	HT TTC	236,50 315,33	2,81 3,74
	L ♪	PEUGEOT 505 Familiale MINIBUS	HT TTC	251,00 334,66	2,93 3,90
	M ♪	RENAULT ESPACE	HT TTC	274,00 365,33	2,81 3,74
	N ♪	MERCEDES 230 E	HT TTC	416,25 555,00	4,32 5,76

7

La BAULE 44500 Loire-Atl. 63 ⑭ G. Bretagne – 14 688 h. – Casino BZ.
Voir Front de mer** – Parc des Dryades* FZ – La Baule-les-Pins** EFZ.

🏨 **Majestic** sans rest, esplanade F.-André 🕿 40 60 24 86, ⩽, – 📶 🅿 AE ① E
15 avril-30 sept. – SC : **61 ch** 🖙 380/445, 6 apparentements 650/700.   BZ e

🏨 **La Palmeraie** 🦎, 7 allée Cormorans 🕿 40 60 24 41, « Cour fleurie » –   CZ n
🔲wc AE ① E VISA 🎾 rest
27 mars-1er oct. – SC : **R** 85/100 – 🖙 20 – **23 ch** 190/250 – P 210/275.   CZ f

🏨 **Concorde** sans rest, 1 av. Concorde 🕿 40 60 23 09 – 📶 🔲 🔲wc 📶wc 🕿
22 mars-30 sept. – SC : 🖙 20 – **47 ch** 245/300.   DZ d

🏨 **Christina**, 26 bd Hennecart 🕿 40 60 22 44, ⩽, 🎐 – 📶 🔲 rest 🔲wc 📶wc 🕿
E VISA (1er juin-30 sept.) 110/180 – 🖙 23 – **36 ch** 130/290, (en sais. pension seul.) –   BZ p
P 310/360.

🏨 **Flopen** sans rest, 145 av. De-Lattre-de-Tassigny 🕿 40 60 29 30 – 🔲wc 📶wc 🕿
🅿 AE ① E VISA – SC : 🖙 28 – **24 ch** 135/300.   CY y
20 mars-15 oct.

🏨 **La Closerie** sans rest, 173 av. De-Lattre-de-Tassigny 🕿 40 60 22 71 – 🔲wc
📶wc 🕿 🅿 🎾 – SC : 🖙 17 – **15 ch** 175/225.
avril-oct.

BREST ◈ 29200 Finistère 58 ④ G. Bretagne – 160 355 h. communauté urbaine 223 854 h.
alt. 34.
Voir Cours Dajot ⩽*** EZ – Traversée de la rade* et promenade en rade* – Visite
arsenal et base navale * DZ – Musée* EZ M.

🏨 ✿ **Voyageurs**, 15 av. Clemenceau 🕿 98 80 25 73 – 📶 🔲 TV 🔲wc 📶wc 🕿 AE ① E
VISA   EY n
fermé 21 juil. au 11 août et 5 au 18 janv. – **R** (fermé dim. soir et lundi) 150/175 🍷
grill **R** 55 – 🖙 24 – **40 ch** 110/295.
Spéc. St-Jacques au coulis d'étrilles (oct. à avril), Nage des pêcheurs au Mucadet, Salade de mer
royale.

🏨 **Colbert** sans rest, 12 r. de Lyon 🕿 98 80 47 21 – 🔲wc 📶wc 🕿 AE ① E VISA   EY k
SC : 🖙 16,50 – **27 ch** 88/210.

🏨 **Paix** sans rest, 32 r. Algésiras 🕿 98 80 12 97 – 📶 TV 🔲wc 📶wc 🕿 AE ① E VISA   EY a
SC : 🖙 19 – **25 ch** 135/230.

🏨 **Bretagne** sans rest, 24 r. Harteloire 🕿 98 80 41 18 – TV 🔲wc 🕿 E VISA   BX e
fermé 24 au 31 déc. – SC : 🖙 16,50 – **21 ch** 118/210.

🏨 **Vauban**, 17 av. G.-Clemenceau 🕿 98 46 06 88 – 📶 🔲 rest 🔲wc 📶wc 🕿   EY n
⮕ 🅿 200. E VISA (fermé 10 juil. au 8 août et vend.) 39/85 🍷 – 🖙 15,50 – **53 ch** 91/238.
SC : **R**

NANTES 🅿 44000 Loire-Atl. 67 ③ G. Bretagne – 247 227 h. communauté urbaine 420 000 h.
alt. 8.
Voir Intérieur** de la cathédrale HY – Château ducal** : musées d'art populaire
régional* et des Salorges* HY – La ville du 19e s. * : passage Pommeraye* GZ 135,
cours Cambronne* HY – Jardin des Plantes* HY – Palais Dobrée* FZ – Ancienne île
Feydeau* GZ – Belvédère Ste-Anne ⩽* EZ S – Musées : Beaux-Arts** HY M1, Histoire
naturelle** FZ M2, Archéologie régionale* (dans les jardins du palais Dobrée) FZ M3,
Jules Verne* EZ M4 – Vallée de l'Erdre* CV.

🏨 **Trois Marchands**, 26 r. A.-Brossard 🕿 40 47 62 00 – 📶 TV 🔲wc 📶wc 🕿 🚗 –   GY b
⮕ 🖙 35. AE ① VISA
SC : **R** 55/150 🍷 – 🖙 17 – **64 ch** 140/240 – P 180/280.

🏨 **Concorde** sans rest, 2 allée Orléans 🕿 40 48 75 91 – 📶 🔲wc 📶wc 🕿 AE VISA   FZ v
🖙 15,50 – **34 ch** 110/190.

🏨 **Graslin** sans rest, 1 r. Piron 🕿 40 89 16 09 – 📶 TV 🔲wc 📶wc 🕿 AE ① VISA   GY s
SC : 🖙 14,50 – **46 ch** 77/161.

🏨 **Maeva** sans rest, 3 r. du Marais 🕿 40 89 60 60 – 📶 TV 🔲wc 📶wc 🕿 AE VISA   GY e
fermé 19 déc. au 2 janv. – SC : 🖙 16 – **27 ch** 133/200.

🏨 **Duquesne** sans rest, 12 allée Duquesne 🕿 40 47 57 24 – 📶 TV 🔲wc 📶wc 🕿   GY e
SC : 🖙 20 – **27 ch** 131/190.

RENNES 🅿 35000 I.-et-V. 59 ⑰ G. Bretagne – 200 390 h. alt. 30.
Voir Palais de Justice** BY J – Retable** de la cathédrale St-Pierre AY – Le Vieux
Rennes* ABY – Jardin du Thabor* BY – Musées BYM : de Bretagne**, des Beaux-
Arts** – Musée automobile de Bretagne* 4 km par ②.

🏨 **Sévigné** sans rest, 47 av. Janvier ✉ 35100 🕿 99 67 27 55, Télex 741058 – 📶 TV
🔲wc 📶wc 🕿 AE ① E VISA   BZ a
SC : 🖙 18 – **48 ch** 120/215.

🏨 **Voltaire** M 🎐 sans rest, 10 r. Guébriant 🕿 99 67 33 33, 🦌, 🍴, 🎾 – 📶 🔲wc 📶wc   CU k
🔲 🅿 🎾 – SC : 🖙 18,50 – **32 ch** 97/174.

🏨 **Voyageurs** sans rest, 28 av. Janvier ✉ 35100 🕿 99 31 73 33 – 📶 🔲wc 📶wc 🕿   BZ v
AE ① VISA 🎾 – SC : 🖙 19,50 – **32 ch** 114/200.
fermé 18 juil. au 10 août et 19 déc. au 4 janv.   AY f

🏨 **Angelina** sans rest, 1 q. Lamennais ✉ 35100 🕿 99 79 29 66 – 📶 📶wc 🕿 AE ①   AY f
E VISA
SC : 🖙 17 – **25 ch** 109/190.   BZ u

🏨 **Astrid** sans rest, 32 av. L.-Barthou ✉ 35100 🕿 99 30 82 38 – 🔲wc 📶wc 🕿 AE   BZ r
E VISA
SC : 🖙 18,50 – **30 ch** 108/226.

🏨 **Garden-H.** sans rest, 3 r. Duhamel ✉ 35100 🕿 99 65 45 06 – 📶 🔲wc 📶wc 🕿 VISA   BZ r
SC : 🖙 17,50 – **24 ch** 103/228.

ST-MALO ◈ 35400 I.-et-V. 59 ⑥ G. Bretagne – 47 324 h. – Casino AXY.
Voir Site*** – Remparts*** DZ – Château** DZ : musée de la ville* M, Tourelles de
guet ⩽***, Quic-en-Groigne* DZ E – Fort national* : ⩽*** 15 mn AX – Vitraux* de la
cathédrale St-Vincent DZ – Usine marémotrice de la Rance : digue ⩽* S : 4 km.

🏨 **Bristol Union** sans rest, 4 pl. Poissonnerie 🕿 99 40 83 36 – 📶 🔲wc 📶wc 🕿 E   DZ v
VISA
fermé 15 nov. au 31 janv. – SC : 🖙 18,50 – **27 ch** 152/230.

🏨 **Jean-Bart** sans rest, 12 r. de Chartres 🕿 99 40 33 88 – TV 🔲wc 🕿 E VISA   DZ f
fermé janv. et fév. – SC : 🖙 21 – **17 ch** 196/250.

🏨 **Louvre** sans rest, 2 r. Marins 🕿 99 40 86 62 – 📶 📶wc 🕿   DZ b
fermé janv. – SC : 🖙 18,50 – **45 ch** 105/240.

🏨 **Commerce** sans rest, 11 r. St-Thomas 🕿 99 40 85 56 – 🔲wc 📶. 🎾   DZ y
20 mars-11 nov. – SC : **42 ch** 🖙 102/225.

🏨 **Noguette**, 9 r. Fosse 🕿 99 40 83 57 – 🔲wc 📶 🎾 46/190 – 🖙 20 – **12 ch** 125/225 –
fermé 12 nov. au 16 déc. – SC : **R** (fermé lundi)
P 208/246.

la Bretagne

La Baule est une célèbre station balnéaire sur la côte Atlantique. On vante souvent sa plage — «la plus belle de l'Europe».

C'est à **Carnac** qu'on trouve plus de 3.000 mégalithes. Ces grandes pierres datant de plus de quatre mille siècles avant Jésus-Christ témoignent du riche passé préhistorique de la France.

Concarneau est le troisième port de pêche de France. On peut y visiter la Ville Close — un îlot complètement enserré dans des remparts de granit.

On appelle **le Mont-St-Michel** «la Merveille de l'Occident». Sur un îlot de 80m de haut qui est séparé de la terre à la marée haute se dresse une magnifique abbaye gothique.

Perros-Guirec est une station balnéaire très fréquentée sur la Manche.

La Pointe du Raz est la pointe la plus occidentale de la France. La côte rocheuse offre des panoramas saisissants.

Quimper, ancienne capitale de la Cournouaille, est connue surtout pour sa cathédrale et pour ses faïenceries.

Rennes, capitale de la Bretagne, est le centre commercial de la région.

St-Malo est un grand port de mer et une ville touristique. On apprécie ses remparts, ses plages et son casino.

CARNAC

à Carnac-Plage S : 1,5 km :

▲▲ **Le Men-Dû**, E : quartier Beaumer, à 300 m de la plage ☏ 52.04.23
1 ha (300 c) ⚊ plat et peu incliné, herbeux ⬜ ⚋ – 🚿 —
Pâques-sept. – Pas de réservation – Pers. 2,15 – Véh. 0,60/1,10 – Empl. 1,05 ou 1,65.

▲▲ **Le Dolmen** ⚓, E : quartier Beaumer
1 ha (300 c) plat, peu incliné, herbeux – 🚿 ♂ glace – 📷 —
Juin-10 sept.

▲▲ **Les Druides** ⚔, E : quartier Beaumer, à 500 m de la plage ☏ 52.08.18
1,2 ha (300 c) ⚊ plat, peu incliné, herbeux – 🚿 ♂ glace
Avril-sept. – Pers. 2,15 – Véh. 0,60/1,10 – Empl. 1,05.

▲ **L'Océan**, E : quartier Beaumer, à 200 m de la mer
0,5 ha (150 c) ⚊ (juil.-août) plat et peu incliné,
herbeux – ♂ —
Avril-sept. – Pers. 2,15 – Véh. 0,60/1,10 –
Empl. 1,05.

Le MONT-SAINT-MICHEL 50116 Manche 5 – 59 ⑦ G. Bretagne, G. Normandie – 114 h. – ⊙ 33.
Le Mont est entouré d'eau aux pleines mers des grandes marées.
S.I. Corps de Garde des Bourgeois (20 mars-20 oct.) ☏ 60.14.30.

▲▲▲ **Les Campings du Mont-Saint-Michel**, S : 2 km au carrefour des D 976 et D 275, à
150 m du Couesnon ☏ 60.09.33
4 ha (350 c) ⚊ (saison) plat, herbeux ⚋ – 🚿 🚻 🎿 🛒 ♥ ✗ ⚌ ♂ glace, bazar – 📺 🚗
🚩 à proximité – Location de bungalows
Avril-sept. – Pers. 4,50 eau chaude comprise – Véh. 1/2,50 – Empl. 2,50/3,50.

à Pont de Beauvoir S : 4 km sur D 976 – ✉ 50170 Pontorson

▲▲ **Le Gué de Beauvoir**, S rte de Pontorson, à 50 m du Couesnon ☏ 60.09.23
0,7 ha (100 c) ⚊ plat, herbeux ⚋ – 🚿 ♥ ✗ ⚌ – A proximité : 🚩 🚩
Pâques-sept. – Pers. 4,20 douches chaudes comprises – Véh. 1,85 – Empl. 1,85.

PERROS-GUIREC 22700 C.-du-N. 3 – 59 ①, 230 ⑥ ⑦ G. Bretagne – 7 793 h. – ⛵ – ⊙ 96.
Office de Tourisme avec T.C.F. 18 pl. Hôtel-de-Ville ☏ 35.21.15 et plage de Trestraou (juin-15 sept.)

▲▲▲ **Claire Fontaine** ⚓, ☏ 35.21.37
3 ha (600 c) ⚊ plat et peu incliné, herbeux – 🚿 🚩 🚻 🎿 ♥ ⚌ ♂ glace
15 juin-15 sept. – Pers. 2,35 – Véh.
1,15 – Empl. 1,15.

à Louannec par ① : 3 km – ✉ 22700
Perros-Guirec :

▲▲▲ **Municipal Ernest Renan** ⚔, O : 1 km,
bord de mer ☏ 35.11.78
4 ha (800 c) ⚊ plat, herbeux ⬜ – 🚿 🚻
🎿 ♂ glace – 📷 ♀ à proximité
15 juin-10 sept. – Pers. 3,75 eau chaude
comprise – Véh. 1/2,20 – Empl. 3,25 –
Plate-forme am. 13.

à Ploumanach par ② : 6 km – ✉
22700 Perros-Guirec :

▲▲▲ **Le Ranolien** ⚓ « Lande sauvage et
rochers », SE : 1 km, à 200 m de la mer
☏ 35.21.13
10 ha (900 c) ⚊ plat et accidenté, herbeux – 🚿 🚩 🚻 🎿 ♥ ✗ ⚌ ♂ glace –
📷
Pers. 8,30 tout compris.

PERRUSSON 37 I.-et-L. 68 ⑥ – Voir Loches.

PERTUIS 84120 Vaucluse 21 – 84 ③ – 10 117 h. – ⊙
S.I. pl. Mirabeau ☏ 79.15.56.

▲▲▲ **Les Pinèdes** ⚓ ⚔ « Cadre agréable », E : 1,5 km p
7 ha ⚊ peu incliné, en terrasses, herbeux, pierreux
⚌, à 300 m : 🚩 🏊 chauffée
Mars-nov. – Pers. 3,30 eau chaude comprise –

PESME 70140 H.-Saône 15 – 66 ⑭ – 995 h. – ⊙ 8

(Inset map and timetables overlaying the page)

PLOUMANACH
D 788
TRÉGASTEL-PLAGE
la Clarté
Av. du Casi...
PER...

OUEST

Paris-Alençon

		(A) (B)	(C)	✈	🍴	(D)		(A) (C)	(C)	✈	(D)		
		7 11	8 00	11 22	13 49	16 30	18 19	19 19					
		9 24	10 47	13a40	16 17	19 25	21a01	21a26					

Paris-Montparnasse
Alençon

			(B)	🍴(C)	(C)	✈		(B)✈	(C)	(A) (D)	(D)🍴
↑	↓	8 30	9 33	11 46	13a46	15 56	17 12	21a32
		5a46	6 58	9 26	13 05	15 06	19 20

Alençon-Paris

Paris-Nantes-St-Nazaire

	✈	(F)					(A)	
6 43	8 10	8a57	11 42	13 49	16 09	16 30		
8 22	9 44	10a44	13 13	15 32	16 58	18 13		
9 02	10a33	11a34	14 00	16 18	18 10	18 45		
9 41	11a25	13 15		16 25	18 19	19 30	19 50	
10 35	13 03							

Paris-Montparnasse
E Le Mans
Angers
Nantes
St-Nazaire

↑	↓	9 12	9 59	11 46	13 31	15 31	17 34	19 41
		8 57	7 42	10 04	13 07	13 46	15 44	17 07
		8 19	7 02	9 12	11 35	14 14	14 46	17 17
				7 21	9 23	11 12	12 59	15a10

St-Nazaire-Nantes-Paris

		20 38		22a07	22 24		22 27
17 03	17 34	18 32	19 24		19 01	20a20	19 47	20 27
18 41	19 04	20 10			17 32	18a49	19a04	18 33
19 23	19 10	20 52	20 45	21	✚16 37	17a55		
20 03		21 14	22 22	23 40

Paris-Montparnasse
E Le Mans
Angers
Nantes
Saint-Nazaire

A Sauf samedis, dimanches et fêtes.
B Changement de train à Surdon.
C Changement de train au Mans.
D Changement de train à Surdon certains jours.

E Voir également tableaux Paris-Brest et Paris-Quimper
F Sauf le 2 novembre.
G Sauf les 10 novembre, 30 mars et 18 mai.
a Horaires retardés certains jours.

OUEST

Paris-Granville

	(A)		✈				
7 11	8 14	11 22	16 35	19 19			
10 41	11a48	14a59	20a13	22a42			

Paris-Montparnasse
Granville

↑	(A)		(A)	
9a43	13a49	17 12	17a59	21a32
6a20	10 05	13 49	14a25	18 02

Granville-Paris

Paris-Rennes-Brest

	✈	✈🍴	✈		✈			
7 07	8 34	11 44	14 16		17a00	19 06	22 33	
8 50	10 17	13 37	16 21				0 40	
10 10	11 43	17 50		19a57	22 07	2 42
11 14	12 54	16 05	18 57			23 11
12 46	14 51	18 00	19 02	21a03	23a14	4 50
			19 02	22a38	0a54	6 50

Paris-Montparnasse
B Le Mans
Rennes
St-Malo
St-Brieuc
Brest

↑		(A)✈		✈			
6a13	8 14	11 34	15 55	18 21	20 49	23b30
3a56	7 13	9 18	13 16	16 29		21b43
1a57	5 40	8 33	12 40	15 05		20b17
↓ 21 02		8 17	11 27	13a37	16 20	18a54
0a32		7 22	11 12	12 07	15 00	19b11
22a16		5 52	9 33			17b36

Brest-Rennes-Paris

Paris-Rennes-Quimper

	✈	✈	✈		✈	Via Nantes
7 07	8 34	9 52	12 58	17 00	19a06	22 00
8 50	10 17	11 35	14 44		19a06	0 08
10 10	11 43	13a03	16 09	19	22a07	
11 33	13 44	14a40	17 39	21 50	22a31	4 22
12 07	14 15	15a23	18 19	21 58	0a08	5 25
12 52	14 31	16a13	19 10	19 02	0a55	6 24

Paris-Montparnasse
B Le Mans
Rennes
Vannes
Lorient
Quimper

↑	Via Nantes						
6a36	11a27	15a51		19a35	20 49	23b30
4 34	9a47	11 41	14a04	17a45		21a42
8a25	10 15	12a32	16 21	17 57		20a12
0a06	7 07	8 40	14 09	16 31	18a44
23a17	7 02	10 33	15 14		18a04
22a22	5 48	7 11	9 44	15 14		17a18

Quimper-Rennes-Paris

A Sauf samedis, dimanches et fêtes.
B Voir également tableaux Paris-Nantes.

a Horaires retardés certains jours.
b Les dimanches et fêtes, Brest 17 h 26, St-Brieuc
19 h 09, Rennes 20 h 20, Le Mans 21 h 46, Paris
23 h 37.

10

11

« Si on allait . . . »   111

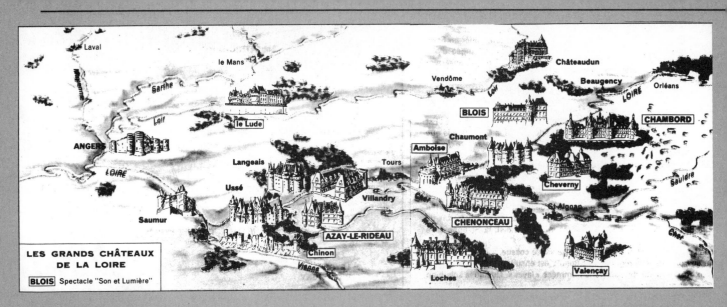

LES GRANDS CHÂTEAUX DE LA LOIRE

BLOIS Spectacle "Son et Lumière"

la Loire

Des ruines du château d'**Amboise** on a une très belle vue sur la Loire.

Construit au bord de l'Indre, le château d'**Azay le Rideau** est une des réussites de la Renaissance. L'intérieur du château est richement décoré de meubles et de tapisseries.

Le château de **Blois** mélange quelques vestiges de l'ancien château féodal au joli bâtiment construit pendant la Renaissance par Louis XII. Le château fut la scène de l'assassinat du duc de Guise en 1588.

Chambord, qui comprend 440 pièces, est le plus vaste des châteaux de la Loire. Construit par François Ier, ce château et son parc attirèrent plusieurs rois, dont Louis XIV qui y fit jouer des pièces de Molière.

Chartres, à mi-chemin de Paris et du val de la Loire, vaut bien la visite. C'est là qu'on trouve la plus célèbre de toutes les cathédrales françaises. Edifiée aux 12e et 13e siècles, elle comprend deux flèches—l'une au style roman, l'autre au style gothique; elle offre aussi une collection merveilleuse de sculptures et de vitraux.

On appelle **Chenonceaux** «le château des six femmes», dont les plus célèbres sont Diane de Poitiers et Catherine de Médicis. Le château comprend deux parties principales: un rectangle avec des tourelles aux angles, construit au bord du Cher, et une galerie qui s'élève sur un pont traversant la rivière.

Le château de **Cheverny** date du 17e siècle et offre un bel exemple du style classique.

Au centre d'une région vinicole se dressent les ruines du château de **Chinon**. C'est à ce château-fort, datant du 12e siècle, que Jeanne d'Arc persuada Charles VII de lui donner le commandement de l'armée française.

SUD-OUEST

Paris-Les Aubrais-Orléans-Tours

	(A)	(B)	✈			✈						✈
	6 05	6 51		7 05	8 04	9 06	10 15	12 00				
				8 04	9 00	10 04	11a19	12 58				
	7a10			8 48		11 00	11 56	13 30				
	7 47		8 39	9c22	10 03	11 47	12 29	14 10				
	8 28											

✈			(C)	✈							
13 36	13 54	17 15	18 35	19 23	19 32	22b15					
14a42		18 12		20 19	20 30	23b13					
15 33	15 18	18 43		21 03	21 14	23 48					
16 21	15 46	19 24	20 37	21 47	22 05	0 30					

Tours-Les Aubrais-Orléans-Paris

			(A)									
Paris-Austerlitz	8 45	9 39	9 57	11 24	13 15	13 15	14 24	15 33				
Les Aubrais/Orléans	7 43	8a40	8 58	10 24	12a11	13 21	12 49	14a28				
Blois	7 11	7 47	8 27	9 37	11 22		13 50					
Tours	6 32	7 15	7 50	8 54	10 35	12 12	13 13					

	✈		✈ ✈	✈								
Paris-Austerlitz	16 00	18 24	18 43	20 30	21 38		21 43	23 12				
Les Aubrais/Orléans		17 20	17 43	19a27			20a31	22 08				
Blois		16 35	17 09	18 48		19 39	19 46	21 36				
Tours	14 09	15 50	16 30	18 15	19 39		18 48	20 56				

Rochefort-s/Mer-La Rochelle-Paris

Paris-La Rochelle-Rochefort-s/Mer

(B) ✈ ✈ ✈

AZAY-LE-RIDEAU 37190 I.-et-L. ⑫ - ⑥④ ⑭ G. Châteaux de la Loire – 2 749 h. – ☉ 47.
S.I. 26 r. Gambetta (15 mars-15 sept.) ☎ 43.34.40 et Mairie (15 sept .-15 mars) ☎ 43.32.11.
⚑ **Parc du Sabot** "Situation agréable», sortie E par D 84 et r. du Stade à droite, bord de l'Indre ☎ 43.32.72
5 ha (350 c) ⚷ (juin-sept.) plat, herbeux ⚏ – 🗒 🛏 🚿 🍴 glace – 🛷 🚗 🚲 à proximité :
📯 ☒ chauffée Pers. 2 – Empl. 2.
26 mars-10 oct. – Pas de réservation – ☒ 37150 Bléré.

CHENONCEAUX 37 I.-et-L. ⑬ - ⑥④ ⑯ G. Châteaux de la Loire – 316 h. – ☒ 37150 Bléré.
⚑ **Municipal**, allée du château et à gauche après le passage à niveau – Croisement peu facile pour caravanes
0,5 ha (100 c) plat, herbeux ⚏ – 🗒 🛏
Pâques-sept. – Pers. 1,50 – Empl. 1,50.

BLOIS Ⓟ 41000 L.-et-Ch. ⑥ - ⑥④ ⑦ G. Châteaux de la Loire – 51 950 h. – ☉ 39.
S.I. et T.C.F. Pavillon Anne de Bretagne 3 av. Jean-Laigret ☎ 74.06.49 – A.C.O. 23 bis r. Denis-Papin ☎ 78.03.21.
⚑ **Base du Lac de Loire** ⚔, NE : 4 km, bord de la Loire ☒ 41350 Vineuil ☎ 78.82.05
4 ha (750 c) ⚷ plat, herbeux, sablonneux – 🗒 (🗒 eau tempérée) 🏭 🚗 🚐 🍴 🎿 🛒 ☂ ⚓
glace – ☒ 🚗 🚲 🛷 ⚓ chauffée ⚓ 🚿 – Empl. 5⫽6 – Plate-forme am. 8,50.
Pers. 4 eau chaude comprise – Empl. 5⫽6 – Plate-forme am. 8,50.
📯 **La Boire**, E : 1,5 km, à 80 m de la Loire ☎ 78.22.78
1,5 ha (240 c) ⚷ plat, herbeux – 🗒 🛏 à proximité.
– 🛷 🚗 🚲 à proximité.
🔺 à **Cellettes** S : 8 km par ③ – ☒ 41120 les Montils :
📯 **Municipal**, sortie E, bord du Beuvron
1 ha (60 c) plat, herbeux
Vac. de Pâques, juin-sept. – Pas de réservation – Pers. 1,40 – Empl. 1,40.
🔺 à **Chouzy-sur-Cisse** SO : 10 km par ⑤ – ☒ 41150 Onzain :
sortie S, à

BLOIS 🅿 41000 L.-et-Ch. 🆖 ⑦ G. Châteaux de la Loire – 49 422 h. alt. 73.

Voir Château★★★ Z : musée des Beaux-Arts★ – Vieux Blois★ : pavillon Anne de Bretagne★ YZ F, église St-Nicolas★ Z E, hôtel d'Alluye★ Y D, jardins de l'Evêché ≤★ Y B, jardin du Roi ≤★ Z K.

🏠 **Ibis**, par ⑧ : 2 km près échangeur A 10, r. Guignières ZI ℰ 54 74 60 60, Télex 750959, ╤ – 🔟 ⇔wc ☎ 🅿 . E 🚾
   SC : **R** carte environ 85 ♨ – 🖙 19,50 – **40 ch** 180/218. Y v

🏠 **Campanile**, par ⑧ : 2 km près échangeur A10, r. Vallée Maillard ✉ 41100 ℰ 54 74 44 66, Télex 751628 – 🔟 ⇔wc ☎ 🅿 . 🚾
   SC : **R** 61 bc/82 bc – 🖙 23 – **42 ch** 181/202.

🏠 **Monarque**, 61 r. Porte-Chartraine ℰ 54 78 02 35 – ⇔wc 🍴wc ☎ 🅿 . Y e
   22 ch. X e

🏠 **Gd Cerf**, 40 av. Wilson ℰ 54 78 02 16 – ⇔wc ☎ 🅿 . ⬩ ch X e
   fermé fév. et vend. hors sais. – SC : **R** 46/191 – 🖙 17 – **14 ch** 58/150 – P 172/250.

🏠 **Anne de Bretagne** sans rest, 31 av. J.-Laigret ℰ 54 78 05 38 – ⇔wc 🍴 ☎ . E
   fermé 15 au 28 fév. – SC : 🖙 18 – **29 ch** 94/260. Z k

🏠 **Viennois**, 5 quai A.-Contant ℰ 54 74 12 80 – ⇔wc ☎ . ⬩ Z r
   fermé 15 déc. au 15 janv., dim. soir et lundi hors sais. – SC : **R** 48/85 ♨ – 🖙 16,50 –
   26 ch 58/154.

🏠 **St-Jacques** sans rest, pl. Gare ℰ 54 78 04 15 – 🍴wc. 🚾 Z s
   SC : 🖙 18 – **33 ch** 70/150.

CHARTRES 🅿 28000 E.-et-L. 🆖 ⑦⑧. 🆖 ㊲ G. Environs de Paris – 39 243 h. alt. 142 -
Grand pèlerinage des étudiants (fin avril-début mai).

Voir Cathédrale★★★ Y – Vieux Chartres★ YZ – Église St-Pierre★ Z – ≤★ sur l'église St-André, des bords de l'Eure Y – ≤★ du Monument des Aviateurs militaires Y Z – Musée : émaux★ YM.

🏨 **Grand Monarque**, 22 pl. Épars ℰ 37 21 00 72, Télex 760777, ╤ – 🔟 ☎ – 🚗 Z e
   AE ⑩ E 🚾
   SC : **R** 165/245 – 🖙 29 – **45 ch** 230/374.

🏨 **Mercure** 🅼 sans rest, 8 av. Jehan-de-Beauce ℰ 37 21 78 00, Télex 780728 – 🕸
   🔟 ☎ ♨ – 🚗 . AE ⑩ E 🚾 Y n
   SC : 🖙 28 – **48 ch** 300/325.

🏠 **Ibis** 🅼, à Lucé par ⑧ : 3 km sur N 23 ✉ 28110 Lucé ℰ 37 35 76 00, Télex 780348 –
   🔟 ⇔wc ☎ ♨ 🅿 – ♨ . 🚾
   SC : **R** (fermé dim. du 1er oct. au 31 mars) carte environ 85 ♨ – 🖙 23 – **52 ch**
   196/231.

🏠 **Jehan de Beauce** sans rest, 19 av. Jehan-de-Beauce ℰ 37 21 01 41 – 🕸 🍴wc
   fermé 15 déc. au 15 janv. – SC : 🖙 15,50 – **46 ch** 70/187. Y m

ORLEANS 🅿 45000 Loiret 🆖 G. Châteaux de la Loire – 105 589 h. alt. 110.

Voir Cathédrale★ FY B : boiseries★★ – Maison de Jeanne d'Arc★ EY E – Quai Fort-des-Tourelles ≤★ EY 60 – Musées : des Beaux-Arts★★ FY M1, Historique★ EY M2.

Env. Olivet : parc floral de la Source★★ SE : 8 km CZ.

🏌 du Val de Loire ℰ 38 59 25 15 par ③ : 17 km.

🚗 ℰ 38 53 50 50.

🏨 **Sofitel** 🅼, 44 quai Barentin ℰ 38 62 17 39, Télex 780073, ≤, 🏊 – 🕸 🔟 ☎ ♨
   🅿 – 🔥 30 à 100. AE ⑩ E 🚾 DY t
   rest. **La Vénerie R** carte 140 à 200 ♨ – 🖙 41 – **108 ch** 375/510.

🏨 **Orléans** 🅼 sans rest, 6 r. A.-Crespin ℰ 38 53 35 34 – 🕸 🔟 ⇔wc 🍴wc ☎ . 🚗 EY t
   SC : 🖙 23 – **18 ch** 180/260.

🏨 **St-Aignan** sans rest, 3 pl. Gambetta ℰ 38 53 15 35 – 🕸 🔟 ⇔wc 🍴wc ☎ . EX k
   AE ⑩ E 🚾
   SC : 🖙 22 – **27 ch** 200/245.

🏨 **Les Cèdres** sans rest, 17 r. Mar.-Foch ℰ 38 62 22 92, Télex 782314, ╤ – 🕸 🔟 DX a
   ⇔wc 🍴wc ☎ . AE 🚾
   SC : 🖙 21 – **35 ch** 140/260.

🏠 **Marguerite** sans rest, 14 pl. Vieux-Marché ℰ 38 53 74 32 – 🕸 ⇔wc 🍴wc ☎ . EY r
   SC : 🖙 15,50 – **25 ch** 96/155.

🏠 **St-Martin** sans rest, 52 bd A.-Martin ℰ 38 62 47 47 – ⇔wc 🍴wc ☎ . 🚾 FX n
   fermé 19 déc. au 4 janv. – SC : 🖙 16,50 – **22 ch** 87/203.

🏠 **St-Jean** sans rest., 19 r. Porte-St-Jean ℰ 38 53 63 32 – ⇔wc 🍴 ☎ 🅿 . 🚾 ⬩ DY f
   fermé 9 au 25 août – SC : 🖙 14 – **27 ch** 90/156.

TOURS 🅿 37000 I.-et-L. 🆖 ⑯ G. Châteaux de la Loire – 136 483 h. communauté urbaine 251 320 h. alt. 48.

Voir Quartier de la cathédrale★★ : Cathédrale★★ EX, musée des beaux-Arts★★ EXY M2, Historial de Touraine★ EX M6, La Psalette★ EX F, Place Grégoire de Tours★ EX47 – Vieux Tours★★ : Place Plumereau★ CY 67, hôtel Gouin★ CX M4, rue Briçonnet★ CX 15 – Quartier de St-Julien★ : musée du Compagnonnage★★ DX M5, Jardin de Beaune-Semblançay★ DX B, Rampe d'escalier★ de l'hôtel Mame DY D – Prieuré de St-Cosme★ O : 3 km AV E – Grange de Meslay★ NE : 10 km AU S.

🏌 de Touraine ℰ 47 53 20 28 ; domaine de la Touche à Ballan-Miré par ⑩ : 14 km.

✈ de Tours-St-Symphorien : T.A.T. ℰ 47 54 21 45 NE : 7 km AU.

🚗 ℰ 47 20 23 43.

🏨 **Cygne** ⬩ sans rest, 6 r. Cygne ℰ 47 66 66 41 – ⇔wc 🍴wc ☎ . 🚗 . 🚾 ⬩ DX a
   fermé 15 déc. au 7 janv. – SC : 🖙 20 – **20 ch** 85/260.

🏨 **Gambetta** sans rest, 7 r. Gambetta ℰ 47 05 08 35 – ⇔wc 🍴wc ☎ – 🔥 70. AE DY e
   🚾
   SC : 🖙 18,50 – **39 ch** 105/253.

🏠 **Balzac** sans rest, 47 r. Scellerie ℰ 47 05 40 87 – ⇔wc 🍴wc ☎ . AE ⑩ E 🚾 DY v
   SC : 🖙 17 – **18 ch** 91/190.

🏠 **Italia** sans rest, 19 r. Devilde ✉ 37100 ℰ 47 54 43 01 – ⇔wc 🍴wc ☎ 🅿 . 🚾 ⬩ AU n
   fermé 1er au 15 sept. – SC : 🖙 20 – **20 ch** 95/173.

🏠 **Théâtre** sans rest, 57 r. Scellerie ℰ 47 05 31 29 – 🔟 ⇔wc 🍴wc ☎ . AE ⑩ E 🚾 DY v
   SC : 🖙 48 – **14 ch** 145/210.

AUBERGES DE JEUNESSE

🏠 Auberge bien aménagée ;

🏠 Auberge simple ;

⚠ Relais, gîte petit ou sommaire.

Fédération Unie des Auberges de Jeunesse (F.U.A.J.),
6, rue Mesnil, 75116 PARIS - Tél. (1) 45.05.13.14 - Télex 611 129.

BLOIS (Loir-et-Cher) 41000 - Les Grouets - T. 54.78.27.21.
🏠 2 dortoirs de 22 et 26 lits. Ouvert du 1/3 au 15/11, 7/10 h et 18/22 h.

CHARTRES (Eure-et-Loir) 28000 - 23, avenue Neigre - T. 37.34.27.64.
🏠 4 chambres de 6 lits + 11 chambres de 4 lits (capacité totale 68). Ouvert toute l'année, 8/10 h et 18/23 h.

TOURS (Indre-et-Loire) 37200 - Avenue d'Arsonval, Parc de Grandmont - T. 47.25.14.45.
🏠 20 dortoirs de 6/8 lits (capacité totale 170). Ouvert du 1/2 au 14/12, 7/10 h et 17/23 h.

Ligue Française pour les Auberges de Jeunesse (L.F.A.J.),
38, boulevard Raspail, 75007 PARIS - Tél. (1) 45.48.69.84.

AMBOISE (Indre-et-Loire) 37400 - Centre Charles-Péguy, Entrepont, Ile d'Or - T. 47.57.06.36.
🏠 60 lits. Ouvert toute l'année (15/22 h).

ORLÉANS (Loiret) 45000 - 14, faubourg Madeleine - T. 38.62.45.75.
🏠 54 lits. Ouvert du 16/2 au 31/8 et du 16/9 au 30/11.

Azay-le-Rideau

Marseille, vieux port

la Provence

Aix-en-Provence garde en partie le souvenir d'une ville du 18ᵉ siècle. On y visite aussi l'atelier de Paul Cézanne et les sites qu'il a rendus célèbres dans ses peintures.

Arles, ruine romaine

AVIGNON P 84000 Vaucluse 81 ⑪⑫ G. Provence – 91 474 h. alt. 23.

Bristol-Terminus sans rest, 44 cours J.-Jaurès ℰ 90 82 21 21, Télex 432730 – 🖳 ⏣wc ☎ ← 🔒 30. ⅋ 🅔 VISA
fermé fév. – SC : ⇄ 23 – **91 ch** 120/260.
BZ m

Midi sans rest, 53 r. République ℰ 90 82 15 56, Télex 431074 – 🖳 TV ⏣ ⏣wc ⏣wc
fermé 10 déc. au 25 janv. – SC : **57 ch** ⇄ 200/300.
BZ g

Angleterre sans rest, 29 bd Raspail ℰ 90 86 34 31 – 🖳 ⏣wc ⏣wc ☎ P 🅔 30. 🕿
fermé 15 déc. au 15 janv. – SC : ⇄ 16 – **40 ch** 130/250.
AZ a

St-George sans rest, rte de Marseille : 1 km ℰ 90 88 54 34 – ⏣ ⏣ P. 🅔
SC : ⇄ 16 – **21 ch** 113/130.
X k

CANNES 06400 Alpes-Mar. 84 ⑨. 195 ⑳㉗ G. Côte d'Azur – 72 787 h.

Provence, 9 r. Molière ℰ 93 38 44 35, 🕱 – 🖳 🔳 ch TV ⏣wc ⏣wc ☎. 🅔 ⓪ 🅔 VISA. 🕱 rest
SC : R (Pâques-fin sept., Noël et fermé dim.) carte environ 130 – ⇄ 20 – **30 ch** 170/330.
CZ t

Univers M sans rest, 2 r. Mar.-Foch ℰ 93 39 59 19, Télex 470972 – 🖳 🔳 🖳 ⏣wc ⏣wc ☎. 🅔 ⓪ 🅔 VISA
SC : – **68 ch** ⇄ 320/518.
BZ

Belle Plage sans rest., 6 r. J.-Dollfus ℰ 93 39 86 25, Télex 461689 – 🖳 TV ⏣wc ⏣wc 🅔 VISA
1ᵉʳ fév.-1ᵉʳ nov. – SC : ⇄ 17,50 – **40 ch** 230/430.
AZ b

Étrangers M sans rest, 10 pl. P. Sémard ℰ 93 38 82 82, Télex 970048 – 🖳 TV ⏣wc ⏣wc ☎. ⓪ 🅔
SC : ⇄ 23 – **53 ch** 280/340.
BY n

Select sans rest, 16 r. H.-Vagliano ℰ 93 99 51 00 – 🖳 🖳 ⏣wc ⏣wc ☎. ⓪
fermé 20 nov. au 20 déc. – SC : ⇄ 15 – **30 ch** 232/280.
BY

Molière sans rest, 5 r. Molière ℰ 93 38 16 16, 🐷 – 🖳 TV ⏣wc ⏣wc ☎. ⓪ 🅔.
🕱
fermé 15 nov. au 20 déc. – SC : **34 ch** ⇄ 205/350.
CZ t

MARSEILLE P 13 B.-du-R. 84 ⑭ G. Provence – 878 689 h.

Petit Louvre, 19 Canebière, ⊠ 13001, ℰ 91 90 13 78 – 🖳 🔳 TV ⏣ ⏣wc ☎. 🅔 ⓪ 🅔 VISA. 🕱 rest
SC : R (fermé dim. du 1ᵉʳ nov. au 31 mars) 75/110 – ⇄ 22 – **33 ch** 174/278 – P 310/360.
CV q

Paris-Nice sans rest, 23 bd Athènes ⊠ 13001, ℰ 91 90 13 22 – 🖳 ⏣wc ⏣wc 🕿. 🅔 ⓪ 🅔 VISA
fermé 1ᵉʳ déc. à début janv. – SC : ⇄ 20 – **33 ch** 104/348.
CU a

Sélect H. sans rest, 4 allées Gambetta ⊠ 13001, ℰ 91 62 41 26 – 🖳 ⏣wc ⏣wc ☎ ← 🔒 80. 🅔 ⓪ 🅔 VISA
SC : ⇄ 22 – **66 ch** 170/230.
CU k

Ibis M, 6 r. Cassis ⊠ 13008 ℰ 91 78 59 25, Télex 400362 – 🖳 🔳 TV ⏣wc ☎ ᕉ ← 🔒 40. 🅔 VISA
SC : R carte environ 85 ⅓ – ⏣ 19,50 – **119 ch** 190/241.
Marseille p. 3 DZ e

Sud sans rest, 18 r. Beauvau ⊠ 13001, ℰ 91 54 38 50 – 🖳 🔳 ⏣wc ⓪
SC : ⇄ 18 – **24 ch** 165/230.
BX n

Martini sans rest, 5 bd G.-Desplaces, ⊠ 13003, ℰ 91 64 11 17 – 🖳 ⏣ ⏣wc ☎. 🅔.
SC : ⇄ 18 – **40 ch** 107/196.
CU b

NICE P 06000 Alpes-Mar. 84 ⑨⑩. 195 ㉖㉗ G. Côte d'Azur – 338 486 h. alt. au château 92.

Windsor sans rest, 11 r. Dalpozzo ℰ 93 88 59 35, Télex 970072, 🏊, 🐷 – 🖳 🖳 ⏣wc ⏣wc ☎. 🅔 ⓪ 🅔
SC : ⇄ 25 – **60 ch** 210/380.
FZ f

Avenida sans rest, 41 av. J.-Médecin ℰ 93 88 55 03 – 🖳 cuisinette 🔳 TV ⏣wc ⏣wc ☎. 🅔 ⓪ 🅔 VISA
⇄ 15 – **35 ch** 145/220.
FY m

Brice, 44 r. Mar.-Joffre ℰ 93 88 14 44, Télex 470658, 🕱, 🐷 – 🖳 TV ⏣wc ⏣wc ☎ ← 🔒 30. 🕱 rest
SC : R 100 – **65 ch** ⇄ 260/420 – P 380/460.
FZ h

Carlton sans rest, 26 bd V.-Hugo ℰ 93 88 87 83 – 🖳 ⏣wc ⏣wc ☎. 🅔 ⓪ 🅔 VISA
SC : ⇄ 19 – **29 ch** 125/285.
FY f

Durante 🕱 sans rest, 16 av. Durante ℰ 93 88 84 40, 🕱 – 🖳 cuisinette TV ⏣wc ⏣wc 🕱. ⓪
fermé 27 oct. au 3 déc. – SC : ⇄ 25 – **27 ch** 150/250.
FY b

Cigognes sans rest, 16 r. Maccarani ℰ 93 88 65 02 – 🖳 ⏣wc ⏣wc ☎. 🕱
SC : **32 ch** ⇄ 240/255.
FY s

Touring, 5 r. de Russie ℰ 93 88 70 15 – 🖳 TV ⏣wc ⏣wc ☎. 🅔 ⓪ 🅔 VISA
SC : R (fermé sam.) 56/98 ⅓ – ⏣ 13 – **19 ch** 210/240 – P 270.
FY h

AIX-EN-PROVENCE (SP) 13100 ... – 114 014 h. – ⚜ ♠ – ⊙ 91.
③, 93 ⑬ **G. Provence**
Office du Tourisme, 2 pl. Général-de-Gaulle ☎ 26.02.93.

Le Félibrige, NO : 5 km – Par A 8 : sortie Aix-Ouest et rocade direction Sisteron ☎ 24.42.76
✉ 13540 Puyricard
1,5 ha (350 c) plat, herbeux – Location de tentes
glace –
Pers. 3,40 – Empl. 3/4,40.

Chantecler, SE : av. du Val – Par A 8 : sortie Aix-Est ☎ 26.12.98
4 ha (360 c) en terrasses et peu incliné, herbeux, pierreux – Location de caravanes
glace –
Pers. 4 eau chaude comprise – Empl. 6,50.

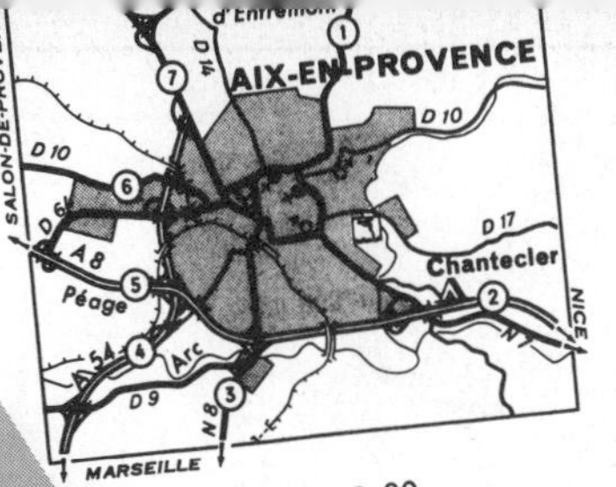

AVIGNON Ⓟ **84000** Vaucluse 20 – 81 ⑪⑫, 93 ㉕ **G. Provence** – 93 024 h. – ⊙ 90.
Maison du Tourisme : **S.I.** et Accueil de France 41 cours Jean-Jaurès ☎ 82.65.11 - A.C. 2 r. République ☎ 86.28.71 - T.C.F. au camping Pont St-Bénézet.

Pont St-Bénézet Ⓜ ← Palais des Papes et le Pont, NO : 2 km par rte de Nîmes et à droite après le pont, dans l'île de la Barthelasse ☎ 82.19.83
6,5 ha (1 500 c) plat, herbeux – glace – , à proximité :
15 mars-15 nov. – Priorité T.C.F., A.I.T – Pers. 4,60 eau chaude comprise – Véh. 2,30 – Empl. 2,30.

au Pontet NE : 4 km par rte de Carpentras – ✉ **84130 le Pontet :**

Le Grand Bois, NE : 1,5 km par D 62 rte de Vedène et rte à gauche – Par A 7 : sortie Avignon-nord ☎ 31.37.44
1,5 ha (200 c) plat, herbeux – glace – à proximité
Pers. 2 – Véh. 1 – Empl. 1.

CANNES 06400 Alpes-Mar. 22 – 84 ⑨, 195 ㉞㉟ **G. Côte d'Azur** – 71 080 h. – ♠ – ⊙ 93.
S.I. et Accueil de France, gare S.N.C.F. ☎ 99.19.77, Palais des Festivals et des Congrès, la Croisette ☎ 39.24.53 et gare maritime, jetée Albert-Edouard ☎ 39.25.91 – A.C. 21 quai St-Pierre ☎ 39.38.94 – T.C.F. Grand Palais 42 r. Serbes ☎ 39.11.78.

à la Bocca O : 3 km – ✉ **06150 Cannes-la-Bocca :**

Ranch-Camping ←, N : 2 km par D 9 puis av. Fr.-Tuby à droite ✉ 06110 le Cannet ☎ 47.28.07
2 ha (240 c) peu incliné, en terrasses, herbeux – glace –
15 janv.-15 nov.

Bellevue, O : 2 km par N 7 et av. M.-Chevalier ☎ 47.28.97 – Réservé aux caravanes
3 ha (200 empl.) plat, incliné et en terrasses, herbeux – glace
Pers. 3 douches chaudes comprises – Empl. 2 pers. 10,50.

à St-Jean NO : 3 km par N 7, rte de Mandelieu puis à droite à la Bocca 6 km sur D 9 rte de Grasse – ✉ 06550 la Roquette-sur-Siagne :

Panoramic ←, ☎ 47.22.66
1 ha (120 c) peu incliné et en terrasses, herbeux – glace
Pers. 2,40 – Empl. 2,40.

GRASSE (SP) **06130** Alpes-Mar. 22 – 84⑧, 195 ㉔ **G. Côte d'Azur** – 35 330 h. – ♠ – ⊙ 93.
S.I. pl. de la Foux ☎ 36.03.56.

Municipal, bd Alice-de-Rothschild ☎ 36.28.69
0,3 ha (100 c) plat, herbeux –
Pas de réservation – Empl. 2 pers. 11 eau chaude comprise.

La Paoute, SE : 5 km par N 567 rte de Cannes
1 ha (100 c) plat et en terrasses, herbeux, pierreux –
15 juin-août – Pers. 2,30 – Empl. 2,30.

à Opio E : 8 km par N 85 rte de Nice et D 3 – ✉ 06860 Opio :

Caravan-Inn Ⓜ, S : 1,5 km sur D 3 ☎ 67.66.00 – Réservé aux caravanes
4 ha (300 c) en terrasses, pierreux, herbeux – glace –
Empl. eau chaude comprise 45, 55 ou 65.

Arles, capitale romaine et centre religieux du Moyen Age, garde de son illustre passé des monuments romains (les arênes, le théâtre antique) et un bel exemple du style roman (le Cloître St-Trophîme).

Avignon, situé sur le Rhône, est l'ancienne cité des papes. On y visite le Palais des Papes et, dans ses alentours, les restes d'un vieux aqueduc romain (le Pont du Gard).

Cannes est une station estivale de première importance sur la Côte d'Azur. Chaque printemps a lieu à Cannes le célèbre Festival International du Film.

La Camargue est une des régions les plus pittoresques de la France. Le delta du Rhône, une plaine humide imprégnéee de sel, est le domaine de troupeaux de taureaux et de chevaux.

Grasse est le centre de la parfumerie française.

Marseille est la seconde ville de France et son premier port maritime. Au vieux port on regarde les pêcheurs en dégustant la bouillabaisse.

La principauté de **Monaco** est un état souverain situé non loin de Nice sur la Côte d'Azur. Elle est célèbre surtout par ses casinos.

Nice est la capitale de la Côte d'Azur. Célèbre par son climat et ses plages, la ville et ses alentours offrent de merveilleux musées d'art moderne.

Nîmes est une ville très animée, connue surtout pour ses monuments romains (les arènes, la Maison Carrée, la Tour Magne) et son beau jardin du 18e siècle.

SUD-EST

Paris-Marseille-Nice

	✕	✕	✕	✕	✕	✕	✕
Paris-Gare de Lyon	7 00	7 40	10 23	11 42	13 24	15 40	16 49
Lyon-Part-Dieu	9 00						18 58
Valence	9 57	10 40		14 35	16 18	18 35	19 55
Avignon	10 51	11 40	14 08	15 28	17 11	19 29	20 49
Marseille	11 46	12 35	15 03	16 22	18 04	20 25	21 44
Toulon	13 11	13 51	15 52	17 16	18 51	21 14	22 37
St-Raphaël	—	14 42	16 50	18 05	19 52	22 04	23 27
Cannes	—	15 07	17 15	18 29	20 15	22 27	23 50
Antibes	—	15 23	17 28	18 39	20 25	22 38	0 00
Nice	—	15 43	17 50	18 55	20 40	22 55	0 17

	✕	✕	✕	✕			
Paris-Gare de Lyon	17 47	18 35	20 00	20 45	21 46	22 16	22 36
Lyon-Part-Dieu			22 04				
Valence	20 42	21 32	23 03				
Avignon	21 41	22 26	—				5 35
Marseille	22 35	23 22	—	5 06			7 20
Toulon	23 19	0 26	—	6 13		6 53	8 36
St-Raphaël	—	—	—	7 15	6 55	8 04	9 26
Cannes	—	—	—	7 43	7 21	8 31	9 50
Antibes	—	—	—	8 00	7 38	8 45	10 00
Nice	—	—	—	8 21	7 56	9 07	10 16

Nice-Marseille-Paris

		✕			✕	✕	✕
Paris-Gare de Lyon	6 21	6 25	7 42	8 14	9 10	11 33	12 49
Lyon-Part-Dieu					7 06	9 29	
Valence		0 08			6 08	8 32	9 52
Avignon		23 01	23 59		5 00	7 37	9 00
Marseille		21 47	22 38		—	6 42	8 06
Toulon	21 47	20 46	21 38	23 03	—	4 44	6 52
St-Raphaël	20 49	19 25	20 39	22 13	—	—	—
Cannes	20 25	18 58	20 14	21 48	—	—	—
Antibes	20 12	18 40	19 59	21 33	—	—	—
Nice	19 54	18 19	19 42	21 15	—	—	—

	✕	✕	✕	✕	✕	✕	✕
Paris-Gare de Lyon	13 47	16 59	18 40	19 51	21a43	22 17	23 20
Lyon-Part-Dieu							21 10
Valence	10 43	14 01		16 53	18a44	19 19	20 14
Avignon	9 45	13 06	14 53	15 58	17a44	18 24	19 21
Marseille	8 50	12 13	14 00	15 05	16 51	17 31	18 26
Toulon	7 53	11 26	13 00	14 18	15 55	16 44	16 50
St-Raphaël	6 58	9 51	12 14	13 22	14 58	15 33	—
Cannes	6 35	9 26	11 51	12 58	14 35	15 10	—
Antibes	6 24	9 11	11 40	12 49	14 25	14 59	—
Nice	6 08	8 51	11 25	12 31	14 10	14 43	—

a Horaire modifié certains jours.

…LITÉS

…circulant entre certaines grandes villes. Il comporte … (repérés par un trait ondulé) ne circulent pas tous …
… supplémentaires sont prévus.
… conditions d'admission ou de parcours sont publiés … Ville à ville » vous propose les horaires des trains …

… départ de la première gare, puis les heures d'arrivée;
… de départ, puis l'heure d'arrivée au terminus;
…, les horaires nécessitant de changer de trains en cours de route.

EXPLICATION DES SIGNES
T.G.V. Réservation obligatoire.
Conditions d'admission (par exemple supplément à acquitter) ou de parcours sur la S.N.C.F. Se renseigner.
TEE Trans Europ Express 1re classe (comporte un service de restauration).
Sauf dimanches et fêtes.
✕ Service de restauration aux heures normales des repas sur le parcours français (peut être supprimé certains jours dans quelques trains).
Ne circule pas tous les jours. Se renseigner.
Parcours desservi par voitures-lits (TEN).
Tous les trains de nuit ont des couchettes ou des voitures-lits.

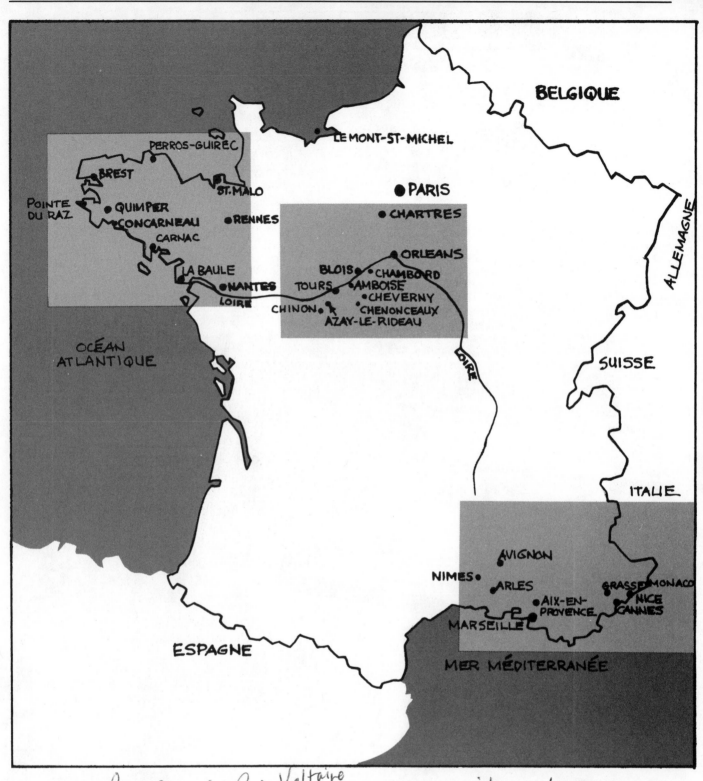

BELGIQUE

LE MONT-ST-MICHEL

PERROS-GUIREC

BREST

ST.MALO

● PARIS

POINTE DU RAZ

● CHARTRES

QUIMPER

CONCARNEAU

● RENNES

CARNAC

● ORLEANS

ALLEMAGNE

BLOIS ● ● CHAMBORD

LA BAULE

TOURS AMBOISE

● NANTES

● CHEVERNY

LOIRE

CHINON ● CHENONCEAUX

AZAY-LE-RIDEAU

OCÉAN ATLANTIQUE

LOIRE

SUISSE

ITALIE

AVIGNON

NIMES ●

ARLES

GRASSE MONACO

AIX-EN-PROVENCE

NICE CANNES

MARSEILLE

ESPAGNE

MER MÉDITERRANÉE

lundi à Rennes Voltaire pour une nuit   trouvez un
mardi à St. Malo   pour 2 nuits Bristol hôtel là
Union
mescredi ~~Brest~~ "
jeudi Brest Voyageurs   trouver   le Mer
vendredi Quimper   un hôtel   Samedi à Carnac
Dimanche à Nantes
lundi → Paris Trois marchands

I. Renseignez-vous *(suite).*   Réunissez-vous avec les compagnons (compagnes) de voyage que vous avez trouvé(e)s la dernière fois. Imaginez que vous allez faire un voyage de quinze jours en France: une semaine à Paris, une semaine en province. La semaine à Paris sera déjà organisée; il s'agit de faire des projets pour la visite en province. Indiquez aux autres ce qui vous intéresse dans chaque région—la Bretagne, le val de la Loire, la Provence. Ensuite mettez-vous d'accord sur laquelle de ces trois régions vous et vos compagnons (compagnes) allez visiter.

POUR ORGANISER UN VOYAGE

memomemomemomemom

EXPRESSIONS UTILES

POUR DEMANDER À QUELQU'UN DE FAIRE QUELQUE CHOSE

Qui va s'occuper de... ?	Who's going to take care of...?
Qui va se charger de... ?	Who's going to take care of...?
Et... , qui va... ?	And...who's going...?
Est-ce que je peux te (vous) demander de... ?	Can I ask you to...?

POUR ACCEPTER DE FAIRE QUELQUE CHOSE

Je veux bien.	I will.
Je peux le faire.	I can do it.
D'accord.	Okay.
Tu peux (Vous pouvez) compter sur moi.	You can count on me.
Rien de plus facile.	Nothing would be easier.
Avec plaisir	With pleasure. Gladly.

POUR MARQUER SON APPRÉCIATION

Cela (Ça) m'arrangerait.	That would help me a lot.
C'est (Ce serait) très gentil de ta (votre) part.	That would be very nice of you.
Merci bien.	Thank you very much.

Une fois la destination décidée, il y a de nombreux détails à régler. Par exemple, il faut arranger les transports, trouver du logement et calculer l'argent qu'il vous faudra. Voici quelques expressions qui vous aideront à répartir les responsabilités:

> — **Qui s'occupera de** l'hôtel?
> — Moi, **je veux bien.**
> — **Si tu as le temps, cela m'arrangerait.**

> — Et les billets d'avion, **qui les prendra?**
> — **Je peux le faire.**
> — **Ce serait très gentil de ta part.**

> — **Est-ce que je peux te demander de** te renseigner sur le cours du change?

— **D'accord. Tu peux compter sur moi.**
— **Merci bien.**

Vous aurez remarqué que dans chaque dialogue on a marqué son appréciation aussi.

J. Qui va...?   Chaque personne doit accepter de faire une des tâches indiquées. La personne qui accepte de faire quelque chose doit trouver quelqu'un pour faire la tâche suivante. Il faut varier les expressions que vous utilisez.

MODELE: acheter un Guide Michelin / prendre des billets de train

A: Nous avons besoin d'un Guide Michelin. Qui va se charger d'en acheter un?
B: Moi, je veux bien.
A: C'est gentil de ta part.
B: Et les billets de train, qui va les prendre?
C: ..., etc.

1. prendre les billets d'avion
2. réserver des chambres d'hôtel
3. louer une voiture
4. trouver le cours du change
5. acheter une carte routière

POUR FAIRE UN ITINERAIRE

Bien entendu, il est possible de voyager sans horaire fixe, de suivre les hasards de la route, pour ainsi dire. Mais si on a un temps limité, il est souvent utile de fixer un itinéraire, d'établir à l'avance sa route et son horaire.

Pour faire un itinéraire, il faut d'abord préciser le jour de départ et le jour de retour:

— Alors on n'a que trois jours. **On part** le matin du 17?
— Si tu veux. Mais si on part le soir du 16, on pourra voyager pendant la nuit et **on aura un jour de plus** à Grenoble.
— C'est vrai. Et puis **on reviendra** le 19.
— C'est ça. Il faut que **je sois de retour** pour travailler le 20.

Il faut savoir aussi le temps de voyage:

— **Combien de temps est-ce qu'on met pour** aller de Paris à Grenoble?
— **Il faut compter** trois heures par le train.
— Et en voiture?
— En voiture **on peut faire** Paris-Grenoble en six heures.

Enfin, il faut décider combien de temps on va passer dans un certain endroit et ce qu'on veut y faire:

— Eh bien, **on passe** deux nuits à Grenoble?
— Non, à mon avis on passe la nuit du 17 à Grenoble, puis **on repart** l'après-midi du 18. **Je tiens absolument à** dîner dans ce restaurant trois étoiles près de Lyon.
— C'est bien. Et puis, **si on a le temps, on pourra** visiter Fontainebleau en rentrant à Paris.

EXPRESSIONS UTILES

POUR VOYAGER

partir	to leave
repartir	to leave again
rentrer	to come (go) home
être de retour	to be back
passer... jours	to spend ... days
avoir (un jour) de plus	to have (one) extra (day)
faire escale à	to stop over in
Il faut... heures.	It takes...hours.
On met... heures.	It takes...hours.
Il faut compter... heures.	You have to count on...hours.
On peut faire... en ...	You can make (get to)...in...
heures.	hours.

POUR INDIQUER CE QU'ON VEUT FAIRE

Je tiens absolument à...	I really want to...
Il faut absolument...	(I, we, you) absolutely have to...
Si on a le temps, on	If you you(we) have the time,
pourra...	you(we) can...
A mon avis, nous devrions...	In my opinion, we should...
J'aimerais bien...	I would like...

K. Notre itinéraire. Avec un(e) autre étudiant(e), faites l'exercice suivant d'après le modèle. Variez les expressions que vous utilisez.

> MODELE: Paris-Lille / train: 2 heures, voiture: 3 heures / 3 nuits à Lille, 1
> nuit à Reims (les caves)
>
> — Combien de temps faut-il pour aller de Paris à Lille?
> — Si on prend le train, il faut compter 2 heures.
> — Et en voiture?
> — En voiture on peut faire Paris-Lille en 3 heures.
> — Est-ce qu'on passe quatre nuits à Lille?
> — Non, trois nuits. Et une nuit à Reims. Il faut absolument voir les
> caves.

1. Paris-Fontainebleau / voiture: 1 heures, vélo: 3 heures / 1 nuit à Fontainebleau, 1 nuit à Chartres (cathédrale)
2. Paris-Genève / voiture: 5 heures, train: 3½ heures / 3 nuits à Genève, 1 nuit à Dijon (palais)

L. Un projet de voyage. Retrouvez vos compagnons de voyage. Il s'agit de développer votre projet de voyage. Avant de vous quitter, il faut avoir:

> — fixé le jour de votre départ et le jour de votre retour;
> — distribué les responsabilités suivantes:

a) une personne va s'occuper de l'avion (la ville où vous habitez/Paris);
b) une personne va trouver un hôtel à Paris;
c) une personne va se charger des billets de train (Paris/une ville importante de la région que vous allez visiter).

Vous aurez le temps de fixer votre itinéraire la prochaine fois.

M. Un projet de voyage *(suite).* Votre travail a deux parties: 1) vous allez vous acquitter de la responsabilité que vous avez acceptée en classe (billets de train ou d'avion, hôtel). Suggestion: téléphonez à une agence de voyage, consultez un guide Michelin, renseignez-vous sur le cours du change (il faut savoir le coût du voyage ou de l'hôtel en dollars et en francs); 2) préparez un itinéraire en complétant le plan donné ci-dessous. Il s'agit de décider où vous voulez aller et ce que vous allez faire.

JOUR & DATE	ITINÉRAIRE : voyage à:

A L'EPREUVE

N. Un projet de voyage *(fin).* Réunissez-vous avec vos compagnons (compagnes) de voyage. Vous devez:
- échanger les renseignements que vous avez trouvés sur les billets et l'hôtel;
- faire un itinéraire détaillé (commencez par comparer les plans de voyage que vous avez établis chez vous, puis mettez-vous d'accord sur la semaine que vous allez passer en Bretagne ou dans le val de la Loire ou en Provence);
- calculer le coût approximatif du voyage par personne.

O. Comment allez-vous passer votre semaine? Votre groupe va présenter à la classe (ou à un ou deux autres groupes) vos projets de voyage. Organisez votre présentation de sorte que chaque membre du groupe y participe.

P. Des visiteurs de France. Un groupe de jeunes Français sont en train de visiter les Etats-Unis; ils seront de passage dans votre région pendant quatre jours. Ils ont envie de « connaître les Etats-Unis et les Américains ». Vous êtes membre du comité chargé d'organiser leur séjour; faites des projets pour occuper le temps qu'ils passeront dans votre région.

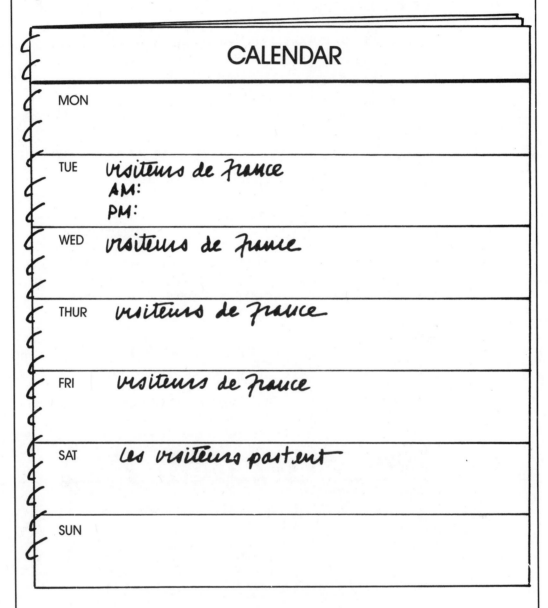

CALENDAR	
MON	
TUE	visiteurs de France AM: PM:
WED	visiteurs de France
THUR	visiteurs de France
FRI	visiteurs de France
SAT	Les visiteurs partent
SUN	

ET MAINTENANT

Q. Des visiteurs de France *(suite).* Vous vous retrouvez avec deux camarades, membres aussi du comité d'accueil chargé du séjour des jeunes Français. Comparez les projets que vous avez préparés à la maison, puis mettez-vous d'accord sur le programme définitif du groupe. On vous demandera ensuite de présenter votre programme à la classe (ou à d'autres groupes).

IMPROVISONS!

Les projets de voyage ou de séjour sont d'habitude assez compliqués. Mais il nous arrive de faire souvent des projets plus simples—pour aller au cinéma, pour retrouver des amis en ville, pour inviter des gens chez nous, etc. Dans l'activité qui suit on va vous demander d'utiliser le vocabulaire que vous avez appris pour faire des projets plus habituels que les projets de voyage.

R. D'autres projets. Vous allez vous mettre d'accord avec un(e) ou deux camarade(s) pour faire les activités suivantes. Travaillez vite, vous n'aurez que deux ou trois minutes pour régler tous les détails essentiels d'une activité particulière.

1. un pique-nique
2. un dîner en ville
3. une surprise-partie
4. une soirée au théâtre
5. un week-end à...

ALLEZ-Y!

Dans ce chapitre vous avez appris à faire des projets. Vous savez proposer une idée, régler les détails pratiques et, quand il s'agit d'un voyage, fixer un itinéraire. En plus, vous savez répondre aux suggestions faites par les autres et à exprimer votre avis personnel là-dessus. Pour terminer cette leçon on va vous demander de faire un petit exercice (comme ça vous pourrez voir ce que vous avez appris) et de dresser une liste d'expressions utiles pour faire des projets (comme ça vous pourrez la consulter à l'avenir).

S. Un voyage à deux. Vous avez envie de faire un voyage et vous voulez que votre ami(e) vous accompagne, mais il (elle) n'est pas très enthousiaste. Choisissez une ville (une région, un pays) que vous voudriez visiter; proposez le voyage à votre ami(e) en lui donnant quelques raisons pour y aller. Votre ami(e) aura sans doute des idées différentes des vôtres. Continuez la discussion jusqu'à ce que vous puissiez vous mettre d'accord sur un voyage que vous voudrez faire ensemble.

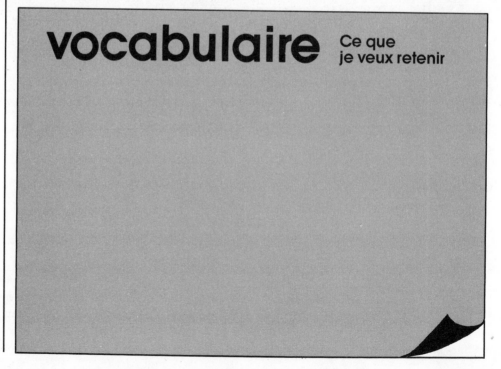

vocabulaire Ce que je veux retenir

Chapitre **8**

« *Ecoute, il faut que je te raconte...* »

LES
FAMILLES

CHEZ VOUS 1

PLANNING STRATEGY

A. Telling stories. Your French friend tells you that he has a problem whenever people start telling stories. He has lots of good anecdotes to relate, but he doesn't know how to get started. Suggest three expressions in English that he could use either to get everyone's attention so that he can tell his story or to connect his story with those that other people have been telling.

1. _____

_____

2. _____

_____

3. _____

_____

A L'ECOUTE

Ecoutez deux ou trois fois les petites conversations de la Partie 8 en vous habituant au rythme de la conversation et en identifiant les sujets discutés. Ensuite, réécoutez les conversations et faites l'exercice suivant.

B. On raconte. Répondez aux questions d'après ce que vous avez entendu sur la Partie 8.

<u>LES HISTOIRES DE FAMILLE</u>

1. Que dit Françoise pour commencer à raconter son histoire? _____

_____

2. Qu'est-ce qu'il y a d'amusant au sujet de sa tante? _____

_____

3. Quelles précisions Danielle cherche-t-elle à propos de l'histoire que raconte

Françoise? _____

_____

4. Comment Danielle relie-t-elle son histoire à celle de Françoise? _____

_____

5. On appelle son frère « le marquis de la godasse éculée » (**godasse** = *slang for shoe;* **éculée** = *worn down at the heel*). Qu'est-ce qu'il y a de paradoxal chez son frère? _____

_____

LES HISTOIRES DE GUERRE

6. Quelle expression Danielle utilise-t-elle pour commencer à raconter son histoire? _____

_____

_____

7. Où ses parents sont-ils allés pendant la guerre? Qui y habitait? _____

_____

_____

8. Qu'est-ce qu'il y avait d'amusant dans la description des chambres? _____

_____

_____

9. Comment Jean-Michel relie-t-il son anecdote à celle de Danielle? _____

_____

10. Qu'est-ce qu'on voulait faire à son père? Pourquoi? _____

_____

11. Qu'est-ce son père a fait pour éviter cela? _____

_____

LES SOUVENIRS

12. De quelle fête parle Jean-Michel? _____

13. Qu'est-ce qui est arrivé à une amie de son frère une année? _____

_____

14. Quelle expression Jean-Michel emploie-t-il pour terminer son histoire? _____

_____

LES MATIERES PREMIERES (VOCABULAIRE ET RENSEIGNEMENTS)

C. L'arbre généalogique. Vous avez à la page 126 un arbre généalogique. Il comprend trois générations et, pour chaque membre de la famille, on apprend son âge, son état civil, son travail et son lieu de résidence. Dans l'espace donné ci-dessous, faites l'arbre généalogique de votre famille.

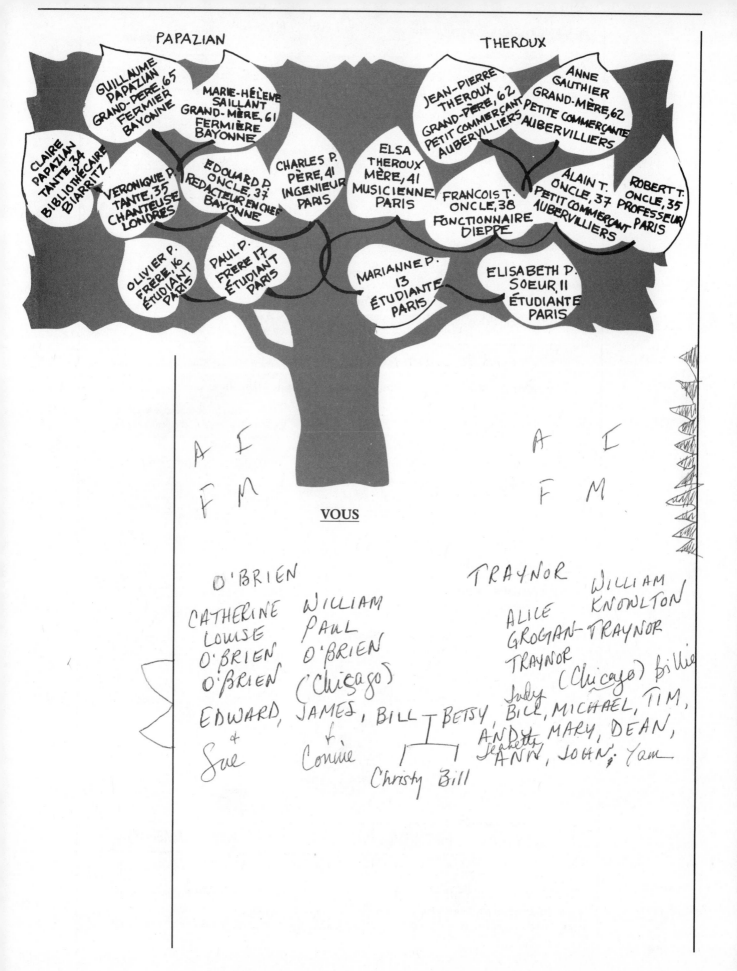

D. Les activités familiales.   Quels mots associez-vous aux activités familiales suivantes? Pour chaque activité, proposez six mots ou expressions; si possible, mettez au moins deux verbes. Ecrivez vos réponses à la page 128. Vous pourrez ensuite les comparer aux expressions proposées par vos camarades de classe.

MODELE: la fête de ton anniversaire

gâteau   bougies   embrasser
chanter   cadeaux   glace aux fraises

1. les vacances d'été
2. le 4 juillet
3. un dîner familial
4. la fête de Thanksgiving

ENTRE NOUS 1: MA FAMILLE ET LA TIENNE

E. L'arbre généalogique *(suite).*   Il s'agit de compléter l'arbre généalogique d'un(e) camarade de classe. Mais vous n'avez pas le droit de regarder l'arbre qu'il (elle) a préparé à la maison; il faut donc interroger cette personne afin de trouver les renseignements nécessaires. Suggestion: Préparez des questions qui suscitent plusieurs renseignements en même temps—par exemple, « Ton frère David habite à Los Angeles. Est-ce que tes autres frères et soeurs y habitent aussi? »

VOTRE CAMARADE

memomemomei

VOCABULAIRE UTILE

Vous connaissez déjà les mots qu'on utilise pour parler des membres d'une famille—**père, mère, frère, soeur, grands-parents, oncle, tante, cousin(e).** Mais voici quelques expressions qui vous sont peut-être moins familières.

un beau-père	step-father, father-in-law
une belle-mère	step-mother, mother-in-law
un demi-frère	step(half)-brother
une demi-soeur	step(half)-sister
un beau-frère	brother-in-law
une belle-soeur	sister-in-law
un beau-fils	stepson, son-in-law
une belle-fille	stepdaughter, daughter-in-law
une bru , le gendre son in law	daughter-in-law
un veuf	widower
une veuve	widow
un(e) célibataire divorcé(e) fiancé(e)	single man (woman)

F. Les activités familiales *(suite).* Comparez votre liste à celle de deux autres étudiants. Notez les mots qu'ils peuvent ajouter à votre liste.

Notes et expressions que j'ai proposées	Notes et expressions proposées par mes camarades
1. les vacances d'été	
______________________	______________________
______________________	______________________
______________________	______________________
2. le 4 juillet	
______________________	______________________
______________________	______________________
______________________	______________________
3. un dîner familial	
______________________	______________________
______________________	______________________
______________________	______________________
4. la fête de Thanksgiving	
______________________	______________________
______________________	______________________
______________________	______________________

G. De qui est-ce que je parle? Avec les membres de votre groupe, parlez des sujets suivants: le nombre de personnes dans votre famille, les métiers et professions représentés dans votre famille, où vous habitez, comment vous célébrez le 4 juillet et la fête de Thanksgiving, comment vous passez les vacances, si vous réunissez en famille. Ecoutez attentivement, car vous devrez faire un portrait d'un membre de votre groupe afin de décrire cette personne à un membre d'un autre groupe. En faisant ce portrait, il ne faut pas identifier la personne dont vous parlez; ce sera à l'étudiant(e) qui vous écoute de deviner.

MODELE: Cette personne a deux frères et trois soeurs. Sa famille habite à Duluth, mais elle a un oncle qui habite en Arizona. Il y a beaucoup d'ingénieurs dans sa famille. Pour la plupart les femmes s'occupent de la maison, mais elle a une cousine qui est astronaute. Sa famille aime faire du camping, donc on passe le mois de juillet au parc de Yellowstone. On ne fête pas le 4 juillet dans sa famille, mais on a toujours un grand dîner familial pour fêter Thanksgiving. De qui est-ce que je parle?

CHEZ VOUS 2

H. L'album de famille.   Complétez deux pages de l'album de famille vide donné ci-dessous en choisissant des portraits de membres de votre famille. Si vous avez des photos, collez-les aux pages ci-dessous; sinon, faites des dessins. Prenez des représentants de deux ou trois générations. Préparez-vous à donner des renseignements sur les personnes qui figurent dans votre album.

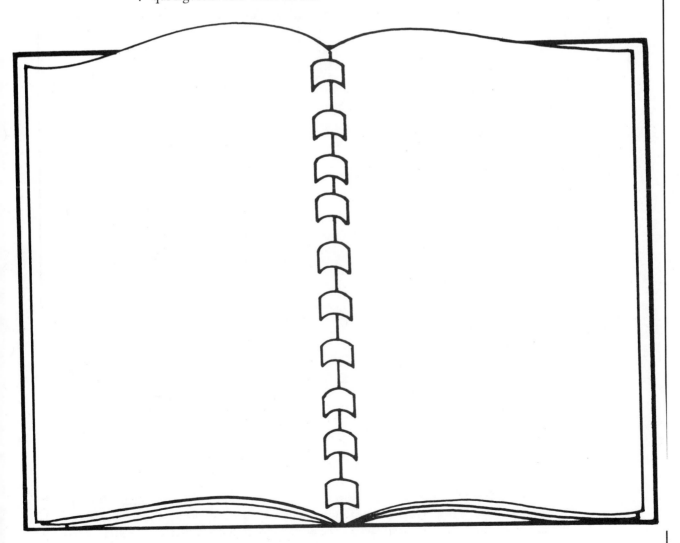

ENTRE NOUS 2: RACONTONS UNE HISTOIRE!

I. L'album de famille *(suite).* Un(e) camarade vous montre son album de famille. Puisque vous n'y connaissez personne, il (elle) est obligé(e) de vous parler de chacune des personnes qui y sont représentées. Vous pourrez aussi lui poser des questions.

LES RECITS

On a souvent un grand nombre d'histoires intéressantes à raconter au sujet de sa famille et de sa vie familiale. Vous aurez bientôt l'occasion d'activer votre mémoire et d'en raconter. Mais avant de commencer il sera utile de voir quelques expressions et de considérer les moyens d'organiser un récit.

POUR PRENDRE ET POUR CEDER LA PAROLE

Pour prendre la parole il faut attirer l'attention de la personne à qui vous voulez raconter votre histoire. Par contre, si vous voulez bien écouter une histoire que quelqu'un d'autre veut vous raconter, il faut lui céder la parole. Voici quelques expressions utiles pour accomplir ces deux buts:

> — **Ecoute, il faut que je te raconte** ce qui s'est passé ce matin.
> — **Je t'écoute.**

> — **Est-ce que tu sais ce qui nous est arrivé,** à ma soeur et à moi?
> — **Non, dis-moi.**

> — Vous autres, **devinez** ce que mes parents ont dit.
> — **Raconte vite.**
> — **Oui, dis-nous tout.**

> — Tu sais, **il m'est arrivé quelque chose de très amusant** hier soir.
> — Ah, oui? **Qu'est-ce qui s'est passé?**

Attention: il n'est pas nécessaire de garder les combinaisons suggérées ci-dessus. Par exemple, si on vous dit « Ecoute, il faut que je te raconte », vous pouvez répondre: « Eh, bien. Raconte. » ou « Dis-moi tout » ou « Qu'est-ce qui s'est passé? »

POUR INTRODUIRE LE SUJET DU RECIT

Quand vous avez la parole, vous pouvez captiver l'attention de votre interlocuteur en annonçant le sujet et en situant l'histoire dans le temps et dans l'espace. C'est-à-dire que vous précisez *qui* et *quand* et *où.* Il est possible de situer un récit de façon très simple:

> — Hier soir je suis allé voir un film avec Roger.
> — Il y a trois jours Monique et moi, nous avons fait des courses en ville.
> — En 1980 mes parents ont fait leur premier voyage en Europe.

Ou bien on peut entrer dans le détail:

> — Hier soir Roger m'a téléphoné pour savoir si je voulais aller au cinéma. Il était déjà huit heures et le film passait à huit heures et demie. J'ai dû me dépêcher pour le retrouver devant le ciné. Quand je suis arrivé, il avait déjà pris nos billets. Nous avons gagné nos places. Mais juste au moment où...

— Il y a trois jours Monique et moi avons décidé de faire les grands magasins. Elle est venue chez moi vers 10 heures. Il pleuvait. Nous avons donc décidé de prendre l'autobus. Il y a un arrêt à deux pas de chez moi. On n'avait pas de parapluie, mais je savais qu'il y aurait un autobus à 10h20. Nous sommes sortis de la maison à 10h18 et nous avons couru sous la pluie. Malheureusement...

— En 1980 mes parents sont allés en Europe. C'était la première fois pour tous les deux. Mon père n'avait jamais quitté le pays. Ma mère était allée au Mexique quand elle avait dix ans. Tout s'est bien passé jusqu'à ce qu'ils arrivent à Nice. Là, sur la plage...

memomemomomen

EXPRESSIONS UTILES

POUR PRENDRE LA PAROLE

Ecoute, il faut que je te (vous) raconte...	Listen, I have to tell you...
Est-ce que tu sais (vous savez) ce qui nous est arrivé?	Do you know what happened to us?
Devine (Devinez)...	Guess...
Tu ne croiras (Vous ne croirez) jamais...	You'll never believe...
Il est arrivé quelque chose de... à...	Something...happened to ...

POUR CEDER LA PAROLE

Je t'écoute (vous écoute).	I'm listening.
Dis-moi (Dites-moi).	Tell me.
Raconte (Racontez).	Tell us about it.
Qu'est-ce qui s'est passé?	What happenend?

J. Prenez la parole. Vous avez quelque chose à raconter à un(e) ami(e). En suivant le modèle, attirez l'attention de votre ami(e), celui-ci (celle-ci) vous cède la parole et vous annoncez le sujet de votre récit. Au début, annoncez ce sujet de la façon la plus simple:

MODELE: Vous vous êtes acheté quelque chose.

Vous: Tu ne devineras jamais ce que j'ai fait samedi dernier.
Votre ami(e): Eh bien, dis-moi.
Vous: Je me suis acheté une voiture (un ordinateur, etc.).

1. Vous avez eu un accident.
2. Vous avez perdu quelque chose.
3. Vous avez eu l'occasion de voir quelqu'un de très connu.
4. Quelque chose d'amusant est arrivé au professeur.

Maintenant refaites l'exercice en donnant des détails pour annoncer le sujet.

Enfin, continuez l'exercice en racontant quelque chose qui est arrivé aux personnes indiquées ci-dessous; entrez dans le détail de votre sujet.

5. à vous et à un(e) ami(e)
6. à un membre de votre famille

Souvent l'idée de raconter une histoire vous vient en entendant ce que dit une autre personne. Pour être poli, il faut que vous attendiez que cette personne finisse ce qu'elle dit, puis vous reliez votre histoire à la sienne. Mais il arrive parfois que vous interrompiez le récit de cette personne pour faire votre récit. Dans les deux cas (relier ou interrompre), on utilise les mêmes expressions.

— ... et nous avons décidé de déjeuner en ville. Ma soeur a proposé un petit restaurant dans la rue Taillefer, juste en face du musée. Il s'appelle « le Coq d'argent ».

— **Ah, oui, moi aussi, je connais** ce restaurant. J'y suis allée avec ma famille le mois dernier. Nous avons bien mangé, mais j'y ai vu quelque chose d'incroyable...

— ... nous avons voulu traverser la rue. Mais tout d'un coup nous avons vu un groupe de touristes, japonais, je crois, qui...

— Ah, **cela me rappelle** ce qui est arrivé à mon père. Lui et ma mère étaient à New York et...

Bien entendu, si on interrompt le cours d'un récit que vous faites, vous voudrez trouver le moment de reprendre la parole:

— ... En somme, je n'avais jamais vu ça dans un restaurant.

— Moi non plus. **Mais comme je te disais,** ma soeur avait proposé « le Coq d'argent ». Quand nous y sommes arrivés...

Ou bien la personne qui interrompt, après avoir terminé son récit, peut redonner la parole à la personne qui avait commencé:

— ... C'est pour cette raison que mon père voudrait bien aller en Orient un jour. **Mais je m'excuse, qu'est-ce que tu disais? Vous étiez sur le point de traverser la rue quand vous avez vu un groupe de touristes...**

memomemomemomemomem

EXPRESSIONS UTILES

POUR ÉTABLIR UN LIEN AVEC L'HISTOIRE D'UNE AUTRE

Ah, oui, moi aussi, je...	Yes, I too...
Cela me rappelle...	That reminds me of...
A propos...	By the way...
C'est comme cette fois où...	It's like that time when...

POUR REPRENDRE LA PAROLE

Comme je te (vous) disais...	As I was saying...
Pour revenir à ce que je racontais...	To get back to what I was telling you...

POUR REDONNER LA PAROLE

Qu'est-ce que tu disais (vous disiez)?	What were you saying?
Mais tu n'as (vous n'avez) pas terminé ton (votre) histoire.	But you haven't finished your story.

— Oui, des Japonais. Evidemment, ils venaient d'arriver à Paris. L'un d'entre eux s'est approché de nous et...

K. Deux histoires.   Votre ami(e) est en train de vous raconter une histoire. Mais vous avez aussi une histoire à raconter. Vous avez le choix: vous pouvez attendre que votre ami(e) finisse, puis vous reliez votre histoire à la sienne; ou vous pouvez l'interrompre, dans ce cas-là votre histoire continuera jusqu'à ce que votre ami(e) reprenne la parole ou que vous la lui redonniez.

MODELE: Votre ami(e) parle de l'anniversaire de sa soeur.

Votre ami(e): Ma soeur a cinq ans. C'était son anniversaire vendredi dernier. Ma mère a invité ses amis à aller à un nouveau restaurant...

Vous: A un restaurant? Moi, j'ai une petite soeur aussi. Elle a eu sept ans le mois dernier. Mais nous n'avons pas fêté son anniversaire au restaurant. Elle a invité ses amis chez nous. Tout le monde s'est bien amusé.

Votre ami(e): C'est bien. Mais comme je te disais, ce restaurant est nouveau. Il y a plein d'activités pour les enfants...

1. Votre ami(e) est allé(e) voir des feux d'artifice le 4 juillet.
2. Votre ami(e) a dîné avec sa famille dimanche dernier.

Continuez l'exercice en parlant des sujets suivants:

3. la fête de Thanksgiving
4. les vacances d'été

« Comme je te disais . . . »

POUR ORGANISER UN RECIT

Le début de votre récit (comme vous l'avez déjà vu) sert d'habitude à situer l'histoire et à préciser les personnages (qui), l'endroit (où), le moment (quand) et parfois le sujet (quoi). On explique comment la situation s'est produite, c'est-à-dire que l'on résume les faits et les événements qui ont précédé le début de l'histoire.

Normalement, la suite de l'histoire comprend une narration chronologique d'événements suivie d'une conclusion ou d'un résumé. Voici un schéma du récit typique avec quelques expressions que vous pourrez utiliser pour situer, pour raconter, pour conclure et pour résumer votre histoire.

DEBUT

situer

qui	C'est arrivé à (mon oncle).
	J'ai (un frère) qui...
	(Ma mère et moi), nous avons l'habitude de...
où	Nous étions...
	Je me trouvais...
	Ça se passait...
quand	C'était le jour où...
	C'était en 19..
	C'est arrivé il y a ...
	Récemment...
pourquoi	...déjà...
	Nous étions là pour...
	Nous avions décidé de ...
	Deux jours avant...

MILIEU

raconter	D'abord...
	J'ai commencé par...
	Et voici ce que/ce qui...
	Puis...
	Ensuite...
	Alors...
	Après avoir/être...
	Un peu plus tard...
	Le jour suivant...
	Trois jours après...
	Au bout d'un moment...
	Au même moment...
	En même temps...

FIN

conclure	Enfin...
	Finalement...
	Nous avons fini par..
	Tout c'est terminé par...
résumer	Bref...
	En somme...
	Et voilà comment...
	Et c'est ainsi que...

L. Un petit récit. En vous inspirant des dessins à la page 135, racontez une petite histoire qui a un début, un milieu et une fin. Faites un effort pour utiliser des expressions tirées de la liste ci-dessus.

« Ecoute, il faut que je te raconte . . . »   135

M. Des histoires de famille. Vous aurez à raconter deux histoires en classe. Pour vous préparer, complétez les schémas qui suivent en y mettant des mots et des expressions qui vous seront utiles. (N'écrivez pas de phrases complètes.) Les deux histoires auront pour sujet:

1. quelque chose qui est arrivé à un membre de votre famille (de préférence à une personne dont le portrait se trouve dans l'album de l'exercice **H**)
2. une activité à laquelle ont participé plusieurs membres de votre famille (par exemple, des vacances, un pique-nique, un anniversaire, etc.).

PREMIÈRE ANECDOTE

DEBUT

qui *mon frère*
où *à l'Université*
quand *septembre*
pourquoi

MILIEU

il confus un professeur feminin par pensa qu'elle

FIN *est un homme.*

SECONDE ANECDOTE

DEBUT

qui *mes parents*
où *Irlande*
quand *mois dernière*
pourquoi

MILIEU

quand ils sont sus les vacances ils oubliez tous des cartes de

FIN *credit.*

A L'EPREUVE

Il arrive souvent qu'on raconte une histoire plus d'une fois, mais à des personnes différentes. Bien que les versions successives du récit ne soient pas tout à fait identiques, il s'agit néanmoins de la même histoire. En classe vous aurez l'occasion de raconter plusieurs fois vos histoires de famille. A chaque répétition vous parlerez plus facilement sans doute.

N. Des histoires de famille *(suite).* Vous allez raconter les deux histoires pour lesquelles vous avez préparé un schéma. Cet exercice comprendra plusieurs étapes; à chaque étape les groupes se réorganiseront.

Première étape: Vous racontez l'histoire qui a pour sujet une personne représentée dans votre album de photos. N'oubliez pas d'attirer l'attention de votre partenaire qui pourra, au cours du récit, vous poser des questions pour vous faire préciser les détails. Ensuite votre partenaire vous racontera une histoire portant sur une activité de sa famille.

Deuxième étape: Vous racontez à votre nouveau partenaire l'histoire que vous n'avez pas racontée au premier tour; il (elle) fait de même. Cette fois pourtant la personne qui écoute doit interrompre celui (celle) qui parle pour raconter son histoire à lui (à elle). Bien entendu, il faut que vous finissiez tous deux par compléter vos histoires.

Troisième étape: Vous êtes avec des étudiants qui n'ont pas encore entendu vos histoires. Vous en raconterez une à un membre du groupe; celui-ci la racontera à un troisième étudiant, qui la racontera ensuite au quatrième. Celui-ci vous fera un résumé de votre histoire; comme cela, vous pourrez vérifier que les autres ont bien écouté et bien raconté. En même temps vous participerez à une autre chaîne d'histoires initiée par un autre membre du groupe.

CHEZ VOUS 4

O. Un homme (une femme) à marier. Il doit y avoir dans votre famille une personne non-mariée (célibataire, divorcé/e, veuf ou veuve). Préparez-vous à trouver un époux ou une épouse pour cette personne. Il s'agit de:

a) choisir la personne que vous voulez marier (rappelez-vous la différence entre marier et se marier);

b) préparer une description de cette personne;

c) organiser deux ou trois anecdotes qui illustrent son caractère et sa personnalité.

ET MAINTENANT

P. Un homme (une femme) à marier *(suite).* D'abord il faut circuler dans la classe pour trouver une épouse (un époux) possible d'un âge approprié. Ensuite il faut présenter votre candidat au mariage en faisant son portrait et en racontant des histoires à son sujet. Il est possible qu'il y ait deux ou trois concurrent(e)s pour la main d'un seul homme ou d'une seule femme.

IMPROVISONS!

Q. On n'oubliera jamais. Dans toute famille il y a certains événements qui font partie du folklore familial; il s'agit souvent d'incidents amusants dont on continue à parler pendant des années et des années. Un membre de votre groupe choisira dans la liste suivante un sujet; tous les membres du groupe essaieront de raconter une petite histoire ayant à voir avec ce sujet. Ensuite un autre membre du groupe choisira un deuxième sujet et vous continuerez à raconter des histoires.

la veille de Noël
une fête d'anniversaire

les vacances d'été
la visite d'un membre de la famille
un dîner au restaurant
un mariage

ALLEZ-Y!

Dans ce chapitre vous avez appris à raconter une histoire. Vous savez commencer votre récit en attirant l'attention des autres ou en trouvant le moment pour interrompre la personne qui a la parole; vous savez introduire votre sujet, enchaîner les faits, conclure et résumer; de plus, vous savez écouter une histoire en cédant ou en redonnant la parole à la personne qui veut parler. Pour terminer cette leçon, on va vous demander de raconter une histoire (comme cela vous pourrez voir ce que vous avez appris) et de faire une liste d'expressions utiles (comme cela vous pourrez la consulter facilement à l'avenir).

R. Pour moi, c'est le contraire. Imaginez que vous et votre camarade de classe participez à une conversation où une troisième personne annonce qu'elle n'a pas d'histoires à raconter. Vous, au contraire, vous en avez beaucoup. Réagissez tous deux à **une** des phrases suivantes en racontant une anecdote.

Vous entendez: — Alors, comme tu vois, ma famille à moi est tout à fait ordinaire. Je n'ai rien d'intéressant à vous raconter à son sujet.

ou
> — Bref, on ne célèbre pas les anniversaires dans ma famille.

ou
> — En effet, je ne me souviens pas très bien de mon grand-père (de ma grand-mère).

vocabulaire Ce que je veux retenir

COMMENT DONNER SON AVIS ET REAGIR AUX OPINIONS DES AUTRES

« *A mon avis...* »

LES CHOSES
QUI
NOUS INTERESSENT

CHEZ VOUS 1

PLANNING STRATEGY

A. Opinions. Your French friend still needs some tutoring in English from you. In particular, he's having some difficulty asking people to indicate their opinion and giving his own opinion on something. In addition, he doesn't know what expressions are appropriate to react to an opinion when he hears it. Give him help by writing down some commonly used expressions in English.

Asking for an opinion

1. _____

2. _____

3. _____

Reacting to an opinion

1. _____

2. _____

3. _____

Giving an opinion

1. _____

2. _____

3. _____

A L'ECOUTE

Ecoutez deux ou trois fois les conversations de la Partie 9 de votre bande en vous habituant au rythme de la conversation et en cherchant à identifier les sujets discutés. Ensuite réécoutez les conversations pour faire l'exercice suivant.

B. A mon avis,...   Indiquez quelles expressions sont employées dans les trois conversations pour: a) demander l'avis, b) donner une opinion, c) réagir aux opinions des autres.

CONVERSATION 1

demander l'avis

_____ _____

_____ _____

_____

donner son opinion

_____

_____ _____

_____

réagir aux opinions

_____

_____ _____

_____

CONVERSATION 2

demander l'avis

_____ _____

_____

_____

donner son opinion

_____

_____ _____

_____

réagir aux opinions

_____

_____ _____

_____

CONVERSATION 3

demander l'avis

_____ _____

_____

_____

donner son opinion

_____

_____ _____

_____

réagir aux opinions

_____

_____

_____

LES MATIERES PREMIERES (VOCABULAIRE ET RENSEIGNEMENTS)

C. Mes préférences. Quand vous sortez avec vos amis, il y a sans doute certaines activités que vous préférez à d'autres. Faites une liste de vos préférences et mettez-les en ordre de priorité (exemples: cinéma, restaurant, plage, piscine, concert, théâtre, football, etc.).

Mes préférences:

1. _le théâtre_____
2. _le cinéma_____
3. _les concerts_____
4. _l'opéra_____
5. _baseball_____
6. _les librairies_____
7. _restaurant_____
8. _____

D. Associations. Quand vous parlez des choses qui vous intéressent, il faut que vous soyez capable de décrire ces choses aux autres. Il vous faut donc des adjectifs de description qui vous serviront à donner des explications détaillées. Faites une liste d'adjectifs que vous associez aux noms suivants.

un restaurant

_____ _____ _____

_____ _____ _____

un film

_____ _____ _____

_____ _____ _____

un hôtel

_____ _____ _____

_____ _____ _____

un endroit touristique

_____ _____ _____

_____ _____ _____

des vêtements

_____   _____   _____
_____   _____   _____
_____   _____   _____

la musique

_____   _____   _____
_____   _____   _____
_____   _____   _____

une personne

_____   _____   _____
_____   _____   _____
_____   _____   _____

DES HOMMES ET DES FEMMES

Au générique, les mêmes exactement: Jean-Louis Trintignant, Anouk Aimée. Vingt ans après « Un Homme et une Femme », ils remettent ça, les rides en plus, les taches sur les mains. Trintignant s'est fait pousser la barbe. Côté petite classe, les enfants ont pas mal grandi, Evelyne Bouix est la copie conforme de son aînée (Lelouch a poussé le vice jusqu'à la revêtir de la même petite robe qui faisait craquer Trintignant le premier jour de la rencontre), Richard Berry, lui, a tout de même du mal à imiter son modèle. Question de classe. Autour de ce petit monde, les habitués défilent, Piccoli and co. C'est kitsch en diable, comme un album de famille, même les scènes d'amour sont calquées sur celles d'il y a vingt ans. On a à peine vu le film qu'on a déjà l'impression que la pellicule va tomber en poussière. C'est trop. (Sortie : 14 mai)

...ES SŒURS

...dants les ...es. Premier ...ri d'Hannah sa jeune belle ...olos du récitant Caine), confus d'aussi mauvaises et passage immédiat ...e. Remords, repassage acte, aveux avortés, au ...ut de huit saisons tout ...tre dans l'ordre : Michael ...ne se dit que sa belle- ...r avait raison et qu'il ai- ...nalement beaucoup sa Deuxième sketch et apparition de en producteur ...ypocondria- ...médecin ...cin, on ...tu-

laquelle il fait illico un en- fant. Troisième sketch : en- trée en scène de la sœur exé- crable. Une narine bourrée de cocaïne, une autre de whisky, elle s'entête à deve- nir successivement une star, la femme d'un architecte, un grand écrivain. Jusqu'au jour où elle tombe dans les bras de son ex-beau-frère... Ça continue comme ça à l'infini, de petits bobos en grosses supercheries, jus- qu'au happy end final. Une heure trente de régal pour rien, juste le plaisir de se re- garder dans l'écran, de se re- connaître et de se rassurer sur ses mauvaises pensées. Ça sent la philo bon marché, c'est archi-tiré par les che- veux, c'est vaguement dé- ... et c'est irrésistible. ...mai)

ENTRE NOUS 1: NOS OPINIONS

E. Associations. Comparez votre liste d'adjectifs à celles des autres dans votre groupe. Ensuite indiquez vos préférences sur deux des sujets. Employez des expressions convenables. Un(e) autre étudiant(e) écoute votre discussion et prend des notes. Quand la conversation se termine, cette personne va donner à la classe entière un résumé des préférences du groupe.

EXPRESSIONS UTILES POUR INDIQUER SES PREFERENCES

Positif

Moi, j'adore...	As for me, I love...
Je préfère surtout...	I most prefer...
Pour la plupart, je...	For the most part, I...
J'aime bien...	I really love...
Ce que je préfère, c'est...	What I prefer is...
J'aime mieux...	I prefer...

Négatif

Je n'aime pas du tout...	I don't like...at all
Je n'aime pas tellement...	I don't really like...
J'ai horreur de...	I abhor...
Ça ne me tente pas.	That doesn't appeal to me at all.
... me tente(nt) pas.	... doesn't appeal to me at all.
Je refuse...	I refuse...

Ni « oui » ni « non »

Ça dépend.	That depends.
Oui et non.	Yes and no.
Parfois.	Sometimes.
De temps en temps.	From time to time.

COMMENT DEMANDER L'AVIS DES AUTRES

Dans la plupart des discussions où sont exprimées des idées, on se sent obligé d'indiquer qu'il s'agit d'une opinion et qu'on accepte donc la relativité des choses. Quand on présente son point de vue ou un argument, il est préférable de montrer qu'on a l'esprit large et qu'on est ouvert à ce que disent les autres. La façon la plus directe de donner la parole à son interlocuteur c'est donc de lui demander son opinion et d'écouter cette opinion attentivement. Même si on n'est pas d'accord, on apprendra peut-être quelque chose! Voici quelques expressions et débuts de phrases qui serviront à créer un vrai dialogue entre vous et les autres. Dans la discussion suivante vous noterez qu'une des personnes est beaucoup plus ouvertes aux idées que l'autre. La deuxième personne s'exprime d'une façon plus catégorique, ce qui enfin mettra fin à la conversation.

— Quel film sensationnel! J'adore les films français. Il y a toujours un côté psychologique qui me fait réfléchir. **Qu'est-ce que vous en pensez?**

— Moi, je trouve ça très ennuyeux. Les Français ne savent pas s'amuser. Il leur faut sans cesse faire des commentaires sur la condition humaine. **Vous ne trouvez pas que** c'est un peu trop?

— D'accord, c'est un peu déprimant mais **est-ce que la vie est vraiment amusante? Peut-être les Français sont-ils plus réalistes que nous.**

— Oui, mais **est-ce que vous cherchez le réalisme quand vous allez au cinéma?** Moi, j'y vais pour oublier et pour m'amuser.

— Alors, **selon vous,** on ne peut pas s'amuser quand on regarde un film sérieux?

— Ça dépend. Même la comédie peut communiquer un message sérieux et profond, mais au moins on peut rire un peu et, surtout, on a le choix d'apprécier le comique sans se donner la peine de réfléchir et sans se lancer dans des discussions infinies!

— Eh ben... il est évident que vous n'aimez ni les films sérieux ni les discussions qui en résultent!

memomemomemo!

EXPRESSIONS UTILES POUR DEMANDER L'AVIS DES AUTRES	
Qu'est-ce que tu penses (vous pensez) de...?	What do you think about...?
Qu'est-ce que tu en penses (vous en pensez)?	What do you think of it?
A ton (votre) avis,...?	In your opinion,...?
Selon toi (vous),...?	According to you...?
Ah, tu trouves (vous trouvez)...?	Oh, you think...?
Tu ne trouves pas (vous ne trouvez pas) que...?	Don't you think that...
Es-tu (êtes-vous) d'accord avec...?	Do you agree with...?
Es-tu (êtes-vous) opposé à...?	Are you opposed to...?

Questions « oui/non » et questions d'information (**comment, qui, où,** etc.)

F. Qu'est-ce que tu en penses? Employez les éléments suivants pour demander l'opinion de votre partenaire. Variez chaque fois l'expression qui vous permet de demander une opinion. Quand vous aurez terminé, changez de rôle.

MODELE: un film

— Que penses-tu de ce film?
ou
— A ton avis, est-ce que c'est un film typiquement français?
— Il est assez intéressant, surtout vers la fin.
ou
— Je ne sais pas. Il me semble bien américanisé.

1. un film	4. le cours de français	7. un professeur
2. un roman	5. un nouvel étudiant	8. les Français
3. l'université	6. un article	9. une auto

COMMENT DONNER SON AVIS

Une discussion ne sera pas très intéressante pour vous si vous ne pouvez pas contribuer votre propre point de vue. Il est donc essentiel que vous ayez à votre disposition les expressions qui vous permettront de donner votre avis. Notez que vous n'êtes pas obligé d'attendre une invitation pour participer à la conversation. Vous pouvez tout simplement prendre la parole quand il y a une petite pause dans ce que disent les autres. Attention, néanmoins, de ne pas interrompre l'idée de ceux qui parlent. Vous risquerez d'être impoli.

Notez également qu'une opinion consiste souvent en une simple affirmation et que vous n'allez donc pas toujours vous servir d'une annonce linguistique. Les exemples suivants vous indiquent comment vous pouvez introduire votre avis dans une discussion.

« A mon avis, nous devrions faire autre chose. »

— De tous les cours que j'ai suivis cette année je préfère de loin le cours de français. **Le prof est sensationnel et j'ai beaucoup appris.**
— D'accord, mais, **à mon avis,** elle nous a donné beaucoup trop de travail à faire à la maison. Tu ne trouves pas?
— Je ne sais pas. **J'ai l'impression que** je n'aurais pas appris autant sans les devoirs. On ne peut pas tout faire en classe...
— T'as raison. Surtout avec vingt-cinq étudiants. **Il me semble que** l'administration devrait réduire le nombre d'étudiants dans chaque cours et **je suis persuadé** que je serais moins timide dans ces conditions. Tu ne crois pas que c'était un problème?
— Pas tellement. **Personnellement, je pense que** le prof a bien réussi à nous faire parler, surtout que nous étions souvent divisés en petits groupes.
— C'est vrai. Et moi j'étais surtout content parce que le prof n'a pas toujours pu entendre mes erreurs!
— T'es absolument sûr? Moi, **je suis convaincu** que rien ne lui échappe, à notre prof!

memomemomemomemon

EXPRESSIONS UTILES POUR DONNER SON AVIS

Mon point de vue est le suivant:...	My point of view is the following...
Pour moi,...	As for me,...
Selon moi,...	According to me,...
Pour ma part,...	For my part,...
A mon avis,...	In my opinion,...
Il me semble que...	It seems to me...
Je pense que...	I think that
J'estime que...	I figure that...
Je considère que...	I consider that...
Je suis convaincu que...	I'm convinced that...
Je trouve que...	I find that...
Je crois que...	I believe that...
Je suis persuadé que...	I'm certain that...
Personnellement, je pense que...	Personally, I think that...
J'ai l'impression que...	I have the impression that...
Il me semble (paraît) évident que...	It seems perfectly evident to me that...

Notez que vous pouvez également employer ces expressions au négatif.

G. Différences d'opinion. Un de vos partenaires va lire chacune des affirmations suivantes. Vous et la troisième personne allez soit donner une opinion qui soutient l'affirmation soit une opinion qui la contredit. Quand vous exprimez votre opinion, employez une des expressions de la liste imprimée ci-dessus.

> MODELE: La Renault est la meilleure auto sur le marché.
>
> — Absolument. Je suis convaincu(e) que je dépense moins d'argent en réparations que pour ma voiture japonaise.
> — Tu as tort. A mon avis, la Renault a autant de problèmes que les autres marques.

1. Ce prof est sensationnel.
2. Je préfère passer les vacances chez moi.
3. Si vous voulez vraiment vous amuser, il faut aller dans une grande ville.
4. La Californie? Ça ne m'intéresse pas. Je préfère un climat variable.
5. Jean est vraiment un type sensationnel!
6. La télévision américaine montre trop de violence.
7. Les jeunes d'aujourd'hui sont trop blasés.
8. Pour bien vivre il faut beaucoup d'argent.

H. Des projets de vacances. Vous et vos amis allez passer quinze jours de vacances ensemble. Vous avez beaucoup d'argent et tout ce qu'il vous faut pour aller ou vous voudrez. Chacun d'entre vous va faire des suggestions que vous noterez avant le commencement de la discussion. Dans la conversation, présentez votre projet avec des arguments qui comprennent des expressions d'opinion. Les autres vont réagir pour ou contre votre projet. Enfin, choisissez le projet qui vous semble le plus intéressant.

Etapes du voyage: _____ _____

_____ _____

_____ _____

_____ _____

Destination finale: _____ _____

Moyen(s) de transport: _____ _____

_____ _____

_____ _____

Justifications: \ _____ _____

_____ _____

_____ _____

Quand vous aurez décidé de votre itinéraire, présentez-le à la classe entière en expliquant pourquoi vous avez pris votre décision (votre avis). Essayez de convaincre les autres membres de la classe que votre projet est le meilleur de tous.

CHEZ VOUS 2

I. J'ai quelque chose à vous apprendre. Pendant la prochaine heure de votre cours de français, vous allez enseigner quelque chose à un petit groupe de camarades. Choisissez un sujet qui vous est cher et que vos camarades trouveront intéressant. Décrivez d'abord de quoi il s'agit (un film, un poème, un endroit que vous avez visité, une expérience qui vous a appris quelque chose, etc.), tout en donnant votre opinion. Faites un effort pour enseigner quelque chose de nouveau à vos amis.

Description du sujet: _____

_____

_____

_____

Ce que je vais apprendre à mes camarades: _____

_____

_____

_____

Expressions qui vont me permettre de donner mon opinion: _____

_____

_____

_____

« Je suis tout à fait d'accord avec toi. »

ENTRE NOUS 2: COMMENT REAGIR AUX OPINIONS DES AUTRES

J. J'ai quelque chose à vous apprendre *(suite).*   Présentez la petite leçon que vous avez préparée à vos camarades en consultant vos notes (mais ne les lisez pas!). Quand vous aurez terminé, vos camarades diront ce qu'ils ont appris et vous donneront leurs opinions sur l'efficacité de votre présentation.

COMMENT REAGIR AUX OPINIONS DES AUTRES

Une bonne discussion est comme un match de tennis. Si vous ne réagissez pas aux stratégies de l'autre, vous risquez de perdre le jeu. Dans une discussion, il ne suffit donc pas d'insister sur votre opinion, il faut aussi que vous réagissiez à ce qu'on vous dit. Les expressions que vous allez apprendre indiquent si vous allez soutenir l'opinion de votre partenaire ou si, au contraire, vous allez présenter un point de vue différent.

POUR SOUTENIR L'OPINION DE QUELQU'UN

— Ces quinze jours à Paris ont été vraiment formidables!

— **Tu as raison.** Il a fait un temps splendide et nous avons fait la connaissance de beaucoup de Parisiens.

— Ce match de football était ennuyeux comme la mort.

— **Je suis tout à fait d'accord.** L'équipe a très mal joué.

— Il n'y a que les Français qui savent faire du bon pain!

— **Rien de plus vrai!** Je n'ai jamais pu découvrir leur secret.

— Françoise n'a vraiment pas été gentille. Elle aurait pu nous inviter à sa fête.

— **Je suis entièrement de ton avis. Et d'ailleurs** cette fête était mon idée à moi!

memomemomem

QUELQUES EXPRESSIONS POUR REAGIR AUX OPINIONS DES AUTRES

SOUTENIR L'OPINION DE QUELQU'UN

Je suis entièrement de ton (votre) avis.	I am entirely of your opinion.
C'est tout à fait vrai ce que tu dis (vous dites).	What you're saying is entirely true.
C'est juste.	That's right.
Je suis (tout à fait) d'accord.	I am completely in agreement.
Tu as raison. T'as raison. (Vous avez raison.)	You are right.
Rien de plus vrai.	Nothing could be more true.
De plus...	Besides...
En plus...	In addition...
Et d'ailleurs...	And besides...
Et aussi...	And also...
Absolument!	Absolutely!
Bien sûr!	Certainly!
Que oui!	Yes!
Sans aucun doute!	Without any doubt!

POUR CONTREDIRE L'OPINION DE QUELQU'UN

— Ces quinze jours à Paris ont été vraiment formidables!

— **Je dirais plutôt que** c'était la catastrophe! Après tout, il a plu tous les jours, nous avons eu un accident de voiture et nous n'avons fait la connaissance de personne!

— Ce match de football était ennuyeux comme la mort.

— **Au contraire,** je l'ai trouvé passionnant. Toi, tu n'y connais absolument rien au football. C'est pour ça que tu t'ennuies!

— Il n'y a que les Français qui savent faire du bon pain.

— **C'est ridicule, ça!** Et les Suisses... et les Allemands?

— Françoise n'a vraiment pas été gentille. Elle aurait pu nous inviter à sa fête.

— Peut-être. **Je dirais plutôt que** c'est la faute de ses parents. Ils ne peuvent pas nous supporter!

COMMENT REAGIR AUX OPINIONS DES AUTRES

POUR CONTREDIRE L'OPINION DE QUELQU'UN

Absolument pas!	Absolutely not!
Pas du tout!	Not at all!
Tu as tort! (Vous avez tort!)	You are wrong!
Je suis contre!	I'm against it!
Au contraire...	On the contrary...
Je m'oppose à...	I'm opposed to...
Je ne suis pas du tout d'accord!	I don't at all agree!
Par contre...	On the other hand...
Oui, mais...	Yes, but...
Je vois les choses différemment.	I see things differently.
Pourtant... (Cependant...)	However...
Je dirais plutôt que...	I'd say, rather, that...
C'est tout à fait faux!	That's totally wrong!
C'est ridicule, ça!	That's ridiculous!
Tu exagères (Vous exagérez)!	You're exaggerating!

K. Pour ou contre. Pour chacune des opinions exprimées par votre partenaire, décidez si vous êtes pour ou contre et employez une expression convenable pour présenter votre point de vue.

> MODELE: Les parents ne comprennent rien à nos problèmes.
> Je ne suis pas du tout d'accord. Leurs conseils sont souvent très valables.

1. Tous mes amis sont divorcés. Le mariage est une institution qui n'a plus de sens.
2. Ah, c'était un excellent repas. Les Chinois savent vraiment faire la cuisine!
3. Si on veut réussir dans les affaires il faut savoir au moins une langue étrangère.
4. Les médecins exagèrent les dangers du tabac.
5. Je ne vois pas pourquoi on me fait étudier la psychologie. Ça ne me servira à rien dans l'avenir.
6. Le protectionnisme est la seule façon de sauvegarder notre économie.
7. Avec toutes les catastrophes d'avion et le terrorisme il ne vaut plus la peine de voyager. Mieux vaut rester chez soi!
8. Je suis pour la peine de mort parce qu'elle réduit le taux des crimes violents dans la société.

L. «**Je mange pour vivre**» / «**Je vis pour manger**». Votre sujet général, c'est la nourriture, les régimes, l'importance de bien manger, etc. D'abord, choisissez votre position (Je mange pour vivre / Je vis pour manger). Ensuite, sélectionnez un sujet précis qui touche à la nourriture et donnez votre avis. Réagissez aux opinions des autres en indiquant si vous êtes ou n'êtes pas d'accord.

M. Le meilleur régime.   Avant de commencer votre discussion, indiquez ce que vous pensez être bon et mauvais pour la santé. Ensuite, présentez votre point de vue à votre groupe et composez un régime que vous trouvez idéal. N'oubliez pas d'exprimer vos opinions sur ce que disent vos camarades.

Bon pour la santé: _____ _____

_____ _____

_____ _____

_____ _____

_____ _____

Mauvais pour la santé: _____ _____

_____ _____

_____ _____

_____ _____

_____ _____

Notre régime idéal: _____ _____

_____ _____

_____ _____

_____ _____

Maintenant, présentez votre régime idéal à la classe entière. Les autres étudiants vous donneront leurs opinions sur vos choix. (Exemple: Je pense que trop de lait n'est pas bon pour la santé. Selon les médecins, on devrait boire le lait en quantité modérée et ils maintiennent que les Américains boivent en général beaucoup trop de lait. *Réponse du groupe:* Nous sommes d'accord avec toi dans le sens que trop de quelque chose est toujours mauvais. Il est évident que, pour un régime idéal, il faut toujours de la modération.)

CHEZ VOUS 3

N. Des controverses. Lisez un article de journal ou regardez les informations à la télévision pour trouver une question qui est particulièrement controversée. Notez le vocabulaire qu'il vous faut pour discuter du sujet et décidez de votre point de vue.

Question controversée: _____

Vocabulaire: _____   _____

                      _____   _____

                      _____   _____

                      _____   _____

                      _____   _____

Mon point de vue: _____

_____

_____

_____

_____

_____

A L'EPREUVE

O. Des controverses *(suite).* Présentez le sujet que vous avez choisi à vos camarades. Soyez sûr(e) de leur indiquer le vocabulaire qu'il faut pour pouvoir parler de votre sujet. Expliquez votre point de vue en employant des tournures convenables pour soutenir votre opinion. Les expressions suivantes vous aideront dans votre discussion:

- Tout d'abord... ensuite... puis... enfin...
- Premièrement...
- En fait...
- Il faut dire que...
- Au fond...
- D'un côté... de l'autre côté...
- D'une part... d'autre part...
- Je me rends compte que...
- Je sais que... mais...
- Il faut comprendre que...
- Il va sans dire que...

P. Des opinions. Choisissez un des sujets suivants et discutez-le dans votre groupe. Expliquez d'abord pourquoi le sujet vous intéresse, exprimez votre opinion, soutenez votre opinion, demandez l'opinion des autres et réagissez à leur opinion. Si vous trouvez un sujet plus intéressant que ceux qui sont mentionnés, n'hésitez pas à le soulever avec votre groupe.

Sujets: l'énergie nucléaire, l'avortement, la punition des jeunes de moins de 16 ans pour un crime, les rapports enfants/parents, tricher aux impôts, la peine de mort, l'égalité entre hommes et femmes, les drogues, les responsabilités de la presse, etc.

Q. Trouvez quelqu'un qui... Circulez dans la classe et trouvez des camarades qui sont d'accord avec vous sur les sujets suivants. Décidez de votre point de vue sur chacun des sujets, posez la question (exemple: Je suis de l'avis que nous devrions éliminer la peine de mort. Qu'est-ce que tu en penses?), et si votre camarade est d'accord avec vous, notez son nom sur votre feuille.

Trouvez quelqu'un qui est d'accord avec vous sur...

1. le sujet de l'avortement _____

2. la question de l'énergie nucléaire _____

3. l'importance de l'assistance sociale _____

4. la peine de mort _____

5. les droits des enfants _____

6. les droits des grands-parents vis-à-vis leurs petits-enfants _____

7. l'euthanasie _____

8. les politiciens _____

CHEZ VOUS 4

R. Des débats. Vous faites partie d'une équipe qui va présenter le pour et le contre sur une question controversée. Trois membres de votre équipe s'exprimeront **pour** et les autres trois **contre**. Avant de faire votre travail à la maison, réunissez-vous avec votre groupe, décidez du sujet que vous allez discuter, décidez qui va présenter les arguments pour et contre, et enfin décidez de quel aspect de la question vous serez personnellement responsable. Comme préparatifs chez vous, faites une liste des arguments que vous allez employer et une liste de tournures qui vous permettront de donner votre opinion. Vous aurez deux minutes pour votre présentation.

Notre sujet: _____

Je suis pour/contre: _____

Aspect du sujet que je vais traiter: _____

Mes arguments *(il faut se limiter à trois):*

1. _____

2. _____

3. _____

Quelques tournures qui m'aideront:

_____

_____

_____

_____

_____

LE QUOTIDIEN
DIALOGUE

es sondages en urgence!

Je pense que les sondages qu'on ectue actuellement sur la popula-é des hommes politiques sont nués de tout intérêt pendant les uatre mois qui viennent.

ar contre, un sondage «sur abolition de la peine de mort» erait très important. Non pas pour établir la «guillotine» que les «terroristes de 1793» ont fait haïr à tous les cœurs bien nés. (...) Personnellement, il y a vingt ans j'étais partisan de l'abolition, mais face aux prises d'otages, aux attentats terroristes, aux trafiquants de drogue, aux assassins de personnes âgées, et autres auteurs de hold-ups à main armée, j'estime qu'il faut rétablir la peine de mort et utiliser la chaise électrique comme les Américains.

Autre sondage à effectuer d'urgen-ce: «Approuvez-vous les grèves des services publics de la télévision et de la radio?» Je suis sûr que la grande majorité des Français les condamnerait.(...) Je préconise, quant à moi, la «création d'un syndicat des usagers des services publics qui, à chaque grève de la radio, inviterait les Français à «boycotter» Radio-France pendant un mois en n'écoutant que les chaînes périphériques: Radio-Mon-te-Carlo, Radio-Télé-Luxembourg, Europe 1. Je propose qu'on le fasse afin de décourager les syndicats qui voudraient exercer la dictature occulte sur la télévision et les radios.

A. CATHALA
(Albi)

La peine de mort pour les pourvoyeurs de drogue

● Je comprends la douleur de Cavanna, mais je suis d'accord avec les propos de Mme V. et de M. Bunet publiés dans Le Quotidien du 30 juin, rappelant l'action néfaste d'Hara-Kiri. Et puisque dans son pathétique appel, Cavanna deman-de quel est le remède, je dis: ce sont les pourvoyeurs de drogue qu'il convient de frapper très fort. Pour eux, la peine de mort. Si elle ne devait pas être «dissuasive» (puis-que c'est essentiellement ce qu'on met en avant pour l'abolir), son application permettrait au moins de «neutraliser» des êtres malfaisants et irrécupérables (c'est cela dont on ne parle pas du côté des abolitionnistes) Il s'agit d'un devoir de défense de notre société et le R.P. Bruckberger en discute pertinem-ment dans son récent ouvrage sur la peine de mort.

B. DREYER-DUFER
(Fontainebleau)

Ça n'arrive pas qu'aux autres...

● M. Cavanna a eu le courage de venir montrer sa douleur à la télévision et je respecte son chagrin tout en approuvant sa démarche. Cependant une immense colère m'étreint qui couve en moi depuis des années, depuis que M. Cavanna et ses amis «intellectuels de gauche», anarchos-gauchos-liber-taires-socialistes, etc., ont signé et resigné des manifestes dans les journaux de gauche pour la libéralisation des drogues douces. C'était du temps où les ténèbres recouvraient la France, je veux dire avant le 10 mai 1981... Et mainte-nant il faut pleurer sur la mort de leurs enfants et de leurs petits-enfants! Bien sûr, je suis particuliè-rement touchée car j'ai moi-même quatre adolescents à élever et que je sais très bien en effet que ça n'arrive pas qu'aux autres. Mais la mort d'une enfant par overdose est déjà éclipsée par celle de Coluche. (...) On a les héros qu'on mérite.

Mme CHARRA
(Tassin)

ET MAINTENANT

S. Des débats *(suite)*. Votre équipe va présenter le pour et le contre du sujet que vous avez choisi. N'oubliez pas que chaque personne n'a que deux minutes pour présenter ses trois arguments et chaque argument doit être précédé par une expression d'opinion. Quand le débat est fini, la classe votera pour indiquer qui a gagné le débat.

IMPROVISONS!

T. Un dilemme. Votre groupe sait que quelqu'un a triché à un examen. Exprimez votre avis si oui ou non vous allez dénoncer le(la) coupable au professeur. Quand vous aurez pris votre décision (oui, non, opinion divisée), expliquez le résultat aux autres étudiants de la classe et présentez vos arguments.

Dans ce chapitre vous avez appris à donner votre avis, à demander l'avis des autres et à réagir à ces opinions. Pour terminer cette leçon, on va vous demander de refaire un exercice du début (comme ça vous pourrez voir ce que vous avez appris) et de dresser une liste d'expressions utiles (comme ça vous pourrez la consulter à l'avenir).

U. Reprise. Choisissez un sujet qui a déjà été discuté dans cette leçon, demandez l'avis de votre camarade, réagissez à son opinion, donnez et soutenez votre propre opinion.

vocabulaire Ce que je veux retenir

Chapitre 10

COMMENT DISCUTER

« *Ce que je ne comprends pas, c'est...* »

LA
VIE
AMERICAINE

CHEZ VOUS 1

PLANNING STRATEGY

A. Having a discussion. Your French friend has been invited to participate in a panel discussion of life in the United States. She has lots of ideas on the subject but is a little concerned about how the discussion will go. Suggest some expressions that she can use to: (1) introduce a topic into the discussion; (2) react to someone else's ideas; (3) bring the discussion back to the topic if people get off track.

1. _____
   _____

2. _____
   _____

3. _____
   _____

A L'ECOUTE

Ecoutez deux ou trois fois la discussion de la Partie 10 de votre bande en vous habituant au rythme de la conversation et en cherchant à identifier les sujets dont on discute. Ensuite réécoutez la discussion et faites les exercices suivants.

B. La vie américaine. Repondez aux questions d'après ce que vous avez entendu sur la Partie 10.

1. Quels sont les aspects positifs de la vie américaine relevés par les Français qui en parlent?

   _____
   _____
   _____
   _____

2. Quels aspects de la vie américaine critiquent-ils?

   _____

_____

_____

C. Qu'est ce que vous pensez? Trouvez au moins deux expressions qu'ils utilisent pour indiquer que c'est une opinion qu'ils expriment:

_____

_____

Trouvez plusieurs expressions qu'ils utilisent pour marquer leur accord avec ce que quelqu'un vient de dire:

_____

_____

_____

Trouvez au moins une expression qu'on utilise pour marquer son désaccord avec ce que quelqu'un vient de dire:

_____

_____

LES MATIERES PREMIERES (VOCABULAIRE ET RENSEIGNEMENTS)

D. La vie américaine. Vous trouverez ci-dessous plusieurs textes qui expriment des points de vue variés sur la vie aux Etats-Unis. Lisez les textes, puis utilisez le schéma suivant pour étudier chaque texte:

Nom du texte _____

Renseignements sur l'auteur _____

_____

Idées principales _____

_____

_____

Nom du texte _____

Renseignements sur l'auteur _____

Idées principales _____

_____

_____

Nom du texte _____

Renseignements sur l'auteur _____

_____

Idées principales _____

LECTURE 1

L'auteur de cette lettre est venue à l'état de New York pour enseigner le français au niveau secondaire. Elle écrit à une amie en France pour parler de ses premiers mois aux Etats-Unis.

mardi 16 juillet

Ma chère Colette,

Je suis allée passer le week-end dernier à la campagne. Ici on parle rarement en « miles » (et naturellement pas en kilomètres) mais en temps de route. Il faut dire qu'avec les vitesses très limitées sur les routes une Jaguar prend autant de temps qu'une Renault pour aller d'une ville à l'autre. La route pour aller chez les Sundberg m'a semblé bizarre. On croit l'Amérique très grande et très peuplée mais jusqu'à présent, je constate que le seul problème, c'est que tout le monde veut vivre à la même place! A une demi-heure de New York (vers le nord) c'est déjà la banlieue paisible. Il y a en fait beaucoup plus de maisons individuelles qu'en France. Même dans la ville de New York il y a d'immenses quartiers tout en maisons individuelles avec petites pelouses et quelquefois garage. Quelle surprise! Dans les petites villes, les magasins semblent tous concentrés dans le même quartier qu'ils appellent « Downtown » bien que cela semble souvent se trouver aux limites de la ville et souvent loin de toute habitation, ce qui fait que les autos sont absolument nécessaires. En plus, après l'heure de fermeture (qui est bien plus tôt qu'en France, généralement 17h) il n'y a plus un chat en ville!

Les Sundberg, chez qui on est descendu pour le week-end, ont deux filles—âgées de 12 et de 15 ans. Elles semblent aimer les lits à baldaquins et les couleurs pastels pour décorer leurs chambres. Elles se comportent comme des petites filles et ne semblent pas aussi mûres que les filles françaises du même âge, mais ce n'est peut-être que superficiel, je verrai.

J'ai eu une grosse surprise en me levant dimanche matin: la maison me semblant bien calme, j'ai attendu quelque bruit qui indiquerait que la famille était debout. Rien. Je suis sortie de la chambre et j'étais seule dans la maison! Un mot sur la table me disait qu'ils étaient partis à la messe et que si je désirais déjeuner, que je me prépare ce que je voulais! Quel choc! Je ne m'imagine pas cela possible en France. J'ai ouvert tous les placards et je n'ai rien trouvé de familier à manger alors j'ai dû me contenter d'un grand verre de lait en attendant que tout le monde rentre. Comme dirait mon frère, ils sont relax!

Je t'embrasse.

Michèle

LECTURE 2

Geneviève Gimenez est une jeune Française venue aux Etats-Unis pour faire des études universitaires. Voici quelques notes qu'elle a prises en pensant aux différences entre la France et les Etats-Unis.

Le matérialisme. Il me semble que l'Américain, en général, est encore très matérialiste. L'argent semble souvent être la finalité de toute chose, mais une fois qu'il l'a, il n'est pas heureux pour autant. Gagner de l'argent est aussi très important en France, mais dans une optique différente. L'argent est seulement un moyen, et non une finalité — un moyen qui vous permet de vivre sur un certain standing, mais surtout d'avoir accès à une certaine culture et connaissance.

La culture. L'approche culturelle est très différente en France et aux Etats-Unis. En France, la culture est à la portée de tous grâce à la télé et le cinéma. La télévision est organisée d'une telle façon que de nombreux programmes instructifs, éducationnels, littéraires, politiques ou autres sont offerts à tous. Par contre, il est difficile de trouver un de ces types de programmes à la télé américaine (sauf à une chaîne par ville). Même chose pour le cinéma. Le cinéma américain peut être défini comme ceci (toujours en généralisant bien sûr): action, violence et grands sentiments. Il me semble que le cinéma français est plus orienté vers l'analyse psychologique, moins d'action mais des silences révélateurs accompagnés d'une recherche musicale qui initie les moins « culturellement éveillés » à un nouveau type de musique (comme de la musique classique ou des opéras).

L'esprit positif. Ce qui me plaît aux Etats-Unis, c'est l'esprit ouvert au changement, l'optimisme et surtout l'encouragement et la stimulation constante que l'on reçoit des médias ou des profs. En ce sens les Etats-Unis, c'est encore « l'Amérique » où tout est possible, tout est « permis ». Quand on veut vraiment faire quelque chose, on peut y arriver envers et contre tout! Par exemple, les professeurs vous encouragent dans votre effort et sont prêts à vous aider, vous stimuler, voire même vous motiver. En France (peut-être parce que l'éducation est gratuite, ils essaient de décourager le plus grand nombre possible de candidats et d'étudiants), vous entendez les profs vous dire que vous ne valez rien, que vous n'y arriverez pas de toute façon. Pareil pour trouver un travail. En France, on vous coupe l'herbe sous les pieds avant de commencer ou bien vous ne trouvez pas de travail parce que tous ces vieux fonctionnaires qui ne sont pas à la page, et même pas recyclés, travaillent encore au lieu de laisser la place aux jeunes.

Le sport et l'intellect. Le sport n'a pas la même place dans le système éducationnel français et américain. Les professeurs en France vous diront et vous répéteront qu'il faut choisir entre avoir une activité sportive ou étudier, que l'on ne peut certainement pas mener les deux de front. En Amérique, le sport fait tout simplement partie des études et vos résultats sportifs paraissent non seulement dans votre dossier scolaire, mais également dans votre autobiographie ou C.V. au même titre que tout autre information. En France, c'est plutôt la tête *ou* les jambes!

Les jeunes. Le comportement entre jeunes (filles et garçons) est très différent également. L'idée du couple, par exemple. Quand vous sortez avec un garçon en France, rien ne vous empêche d'aller quelque part avec des amis, au restau ou en boîte. Rien ne vous empêche de sortir seulement avec un bon ami et ça ne veut pas dire que « you are dating him ». Cette notion de « dating » n'existe pas en France. Quand vous sortez danser en boîte, vous pouvez aller sur la piste danser toute seule ou tout seul sans que personne n'y trouve rien à redire. Alors qu'aux Etats-Unis!!!

L'alcool. La boisson n'est pas un problème si important en France, bien que les Français aient la réputation d'être de grands buveurs. En fait, ils sont plutôt des connaisseurs que grands buveurs. Bien sûr, il y a des alcooliques, mais le problème de l'alcoolisme en lui-même n'est pas quelque chose dont on entend beaucoup parler en France. Ce qui m'a choquée aux Etats-Unis, c'est cet esprit malsain associé à l'alcool. Et tout ça parce que c'est un fruit défendu. Je n'ai jamais vu autant de jeunes gens essayer de boire de l'alcool en cachette. A cet âge-là (de 15 à 19 ans) les jeunes Français penseraient d'avantage à fumer qu'à boire en cachette. Beaucoup de jeunes Américains de seize à vingt-deux ans meurent au volant à cause de l'abus d'alcool. Beaucoup de jeunes Français de dix-huit à vingt-deux ans meurent au volant pour excès de vitesse. Parce que les Français n'ont pas le droit de conduire avant l'âge de dix-huit ans ils sont grisés par la la nouveauté, la vitesse et le sentiment de puissance et beaucoup d'entre eux meurent sur la route (et pas tellement à cause de l'alcool). Ce qui est défendu tente encore plus, et ensuite, c'est l'abus.

La langue. La langue ou l'usage de la langue est une autre différence. Très décontracté et informel aux Etats-Unis alors qu'en France (et en Europe en général) il faut vraiment se surveiller en permanence au niveau vocabulaire et grammaire. Il faut se corriger devant sa propre famille. Il y a un laisser-aller dans le langage américain qui me surprend chaque jour davantage—« You betcha », « buddy », « like I say », etc.

LECTURE 3

Extrait de *The French Review,* Vol. LV, No. 5, « Le Rêve américain se porte bien, merci! » par Jean Paulhan. Résumé d'interviews avec des lycéens français.

Les mots qui reviennent le plus souvent quand on interroge les adolescents de C. sur l'Amérique sont ceux de « pays libéral », « moderne », « grandiose », « immense », « puissant », en un mot « dingue », c'est à dire où l'on a le sentiment de vivre intensément.

Les évocations qui reviennent le plus souvent ont trait aux vastes étendues, aux beautés de la nature—« les plaines, les déserts, les montagnes, l'immensité, les fleuves, les vallées, les canyons »—avec une nette préférence pour tout ce qui est sauvage et un refus fréquent de l'urbanisme américain: « Oui, pour voir le désert, les chevaux, mais pas pour New York ». Certains, tel Stéphane, semblent néanmoins sensibles au gigantisme des villes, en y voyant peut-être le signe d'une harmonie profonde: « Les Etats-Unis évoquent pour moi les beautés et les grandeurs de la nature, opposées aux grandes villes tentaculaires d'où surgissent les immeubles ».

A côté des thèmes positifs de la puissance et de la liberté—une liberté sur laquelle nous reviendrons car elle est définie en des termes plus sociaux que politiques— l'association au nom des Etats-Unis des termes « scientifique », « électronique », revient souvent, ce dernier mot résumant probablement dans l'esprit de son utilisateur tout le prestige de la science moderne.

Dès qu'on aborde le chapitre des relations entre parents et enfants, le ton devient plus passionné et l'on perçoit que les jeunes interrogés se sentent beaucoup plus impliqués. La plupart des réponses (15 sur 19) insistent sur le climat de liberté qui règne dans la famille américaine, fréquemment perçue comme l'antifamille française: « Comme les enfants américains sont plus libres que les enfants français, le cercle familial est très amical »; « Les enfants parlent très librement avec leurs parents »; « J'imagine les relations très libérales, amicales. Pas traditionnelles de père à fils mais de copain à copain ». Quatre dissidents, dans ce concert d'éloges: Pascal estime les relations familiales « moins importantes qu'en France », sans plus de précision; Dominique juge que les « enfants qui communiquent très bien » sont « heureux » mais entrevoit pour d'autres « la délinquance, la solitude, l'aliénation »; Sylvie, sans projet d'avenir, et Stéphane, dont le père est marin et qui souhaite entrer dans la marine nationale, réprouvent, quant à eux, ce qui leur semble un excès de liberté: « J'imagine les relations très désunies. D'après ce que je sais, les enfants peuvent vivre seuls à partir de quatorze à seize ans » et « Les enfants ont peut-être trop de liberté ».

Au sujet du mode de vie des jeunes Américains, le mot de liberté revient de nouveau dans la plupart des réponses mais s'enrichit d'une signification différente, qui a trait aux loisirs: « Ils sortent plus tôt de l'école, ils ont plus de temps libre que nous pour se distraire ou aller faire du sport ». Nathalie et Cécile, elles aussi, pensent que leur génération est plus heureuse « là-bas » car elle y mène une existence « plus vivante, plus mouvementée ». Une fausse note dans cet hymne au mouvement: « Il est plus dur de vivre en Amérique qu'en France ». Fabienne, de son côté, se méfie du cinéma: « A travers les films, ils ont un mode de vie différent. Mais dans la vie courante, je ne pense pas qu'il y ait une grande différence »; « Ils ont comme nous des problèmes, sauf qu'ils sont un pays plus riche que le nôtre ».

Les distractions restent le temps fort de la vie des jeunes aux Etats-Unis. Certains élèves (6 sur 19) pensent que les loisirs pratiqués en Amérique sont les mêmes qu'en France, avec un accent mis sur le sport mais que leur intensité et leur fréquence sont incomparables: « J'imagine leurs distractions comme les nôtres mais plus souvent, c'est à dire la moto, les sorties (même la nuit), les promenades de plusieurs jours entre copains [...] Ils ont le droit d'aller où ils veulent ». Dominique voit aussi une certaine similarité dans les loisirs, mais pour la regretter, ce qui l'isole nettement du groupe: « Je ne pense pas qu'il y ait tellement de différences car nous adaptons petit à petit la France à la mode américaine ». Deux réponses mentionnent, par ailleurs, les boîtes de jeux comme lieux de distraction des jeunes Américains, à côté des discothèques, bars et autres boîtes de nuit.

L'éducation américaine semble à la plupart une partie de plaisir. Seul Richard avoue son ignorance à son sujet, tout en lui étant favorable par principe: « Je ne la connais pas, mais, je sais que c'est plus agréable ». Treize réponses proclament la facilité des études secondaires aux Etats-Unis: « Ils ont aussi la liberté de leur choix », remarque Nathalie. Deux élèves plaignent les adolescents américains, condamnés à affronter les subtilités de la langue française. « Ils ont, comme nous, des problèmes pour le français [...] et surtout la grammaire car il y a beaucoup de règles à savoir ». Une petite minorité, toutefois, conteste totalement l'image d'une éducation plus facile, estimant que le système américain reflète les tares d'une société où règnent la violence et la drogue: « Les enfants étant libres et la vie plus dure, ils ont recours à la drogue ou ils tuent pour se mettre en valeur »; « La société est peut-être plus dure envers ses citoyens ».

Dès qu'il est fait mention de la nourriture américaine un semblant d'unanimité se reconstitue. La plupart estiment qu'elle n'est pas « très naturelle », « pas très fraîche », qu'elle consiste principalement en conserves et surgelés. Elle apparaît « très originale », « avec beaucoup de mélanges »; « La nourriture américaine est peut-être variée mais tout est sucré, salé et a de la matière grasse. Mais aussi les gens mangent trop et mal, ils sont toujours pressés ». La nourriture américaine est certainement moins bonne que la française!

Enfin, sur la question-clef qui nous préoccupait, aucune ambiguïté n'est discernable: seize adolescents sur dix-neuf pensent qu'il n'y a aucune hostilité en France à l'égard des Américains. Dans l'autre camp, Françoise, sans dire que ce sentiment d'inimitié existe, trouve que « les Amèricains sont racistes à l'égard des noirs ou des Indiens ». Dominique n'est hostile qu'à la politique américaine « car leur régime soutient le capitalisme, les dictatures, notamment dans les pays en voie de développement comme le Salvador ». Quant à Michel, le seul à discerner une attitude inamicale chez certains Français, il l'attribue tout bonnement à la jalousie: « Pour nous les Américains représentent un pays supérieur ». Mais c'est la gratitude envers le libérateur qui l'emporte chez Bruno et Frédéric: « On nous les a toujours présentés comme amicaux car ils ont toujours aidé la France au niveau historique[...] Je pense que ce sont eux qui nous ont libérés pendant les deux guerres de 14-18 et de 39-45 ».

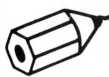

ENTRE NOUS 1: LA VIE AUX ETATS-UNIS

E. La vie américaine *(suite).* Comparez vos schémas avec un(e) camarade de classe pour voir si vous avez compris les articles de la même façon. Etablissez ensemble une liste d'arguments et de vocabulaire. (Ne vous limitez pas aux substantifs; trouvez des verbes, des adjectifs et des adverbes aussi).

F. Etes-vous d'accord? En utilisant les listes que vous avez établies pour l'exercice **E**, discutez avec d'autres étudiants les arguments principaux des articles lus pour distinguer les arguments avec lesquels vous êtes d'accord et ceux que vous voulez mettre en question. Vous allez ensuite établir une nouvelle liste:

Le pour . . .

Arguments que j'accepte	Arguments que je veux réfuter	Arguments au sujet desquels je suis indécis(e)

. . . et le contre!

G. Discussion générale. Discutez avec vos camarades les questions suivantes:

— Lequel des textes avez-vous préféré? Pourquoi?

— Avec lequel des textes êtes-vous le plus en désaccord? Pourquoi?

— En général, les auteurs ont-ils bien compris la vie aux Etats-Unis?

— Quels aspects de la vie américaine les textes que vous avez lus n'ont-ils pas mentionnés?

CHEZ VOUS 2

H. Ont-ils raison? Vous êtes en France et vos nouveaux amis français se mettent à parler des Etats-Unis et des Américains tels qu'ils les voient. Voici ce qu'ils en disent:

1. Vous êtes tellement riches aux Etats-Unis.

2. Les Américains sont très conformistes.

3. La vie aux Etats-Unis est artificielle.

4. J'aime bien les Américains, mais ils ne comprennent pas le reste du monde.

5. Les Américains sont tellement énergiques; ils sont en avance sur les autres pays du monde.

6. Les Américains ne font que travailler; ils ne savent pas se détendre.

Union Carbide vend ses toxines

Le goupe chimique américain Union Carbide a annoncé hier la mise en vente de sa filiale de produits destinés à l'agriculture. Cette filiale fabrique notamment de l'isocyanate de méthyle dont une fuite dans l'usine d'Union Carbide à Bhopal (Inde) avait tué plus de 2000 personnes en 1984. La liquidation de ses activités agro-chimiques, qui a surpris les milieux spécialisés, devrait aider Union Carbide à éponger une partie de sa dette.

Les Etats-Unis font peur aux puces japonaises

Le Japon et les Etats-Unis se sont mis d'accord mercredi à Tokyo pour régler leur conflit sur le commerce des semi-conducteurs, a annoncé un haut-fonctionnaire du ministère japonais du Commerce extérieur (MITI), M. Hiroshi Sugiyama.

M. Sugiyama s'est refusé à révéler le contenu de l'accord, se bornant à déclarer qu'il couvre à la fois la part des semi-conducteurs américains sur le marché japonais et le «dumping» des exportations japonaises de microcomposants électroniques sur le marché américain.

Selon des sources bien informées, les deux parties se sont mises d'accord pour porter de 10 à 20% en cinq ans la part du marché japonais des semi-conducteurs détenue par les exportateurs américains.

Tokyo et Washington se sont également entendus sur la mise en place par le Japon d'un système de surveillance des prix afin d'empêcher les exportateurs japonais de vendre leurs microcomposants à des prix artificiellement bas aux Etats-Unis, selon ces sources.

L'arrangement conclu mercredi intervient après la décision de la Commission américaine pour le commerce international (US International Trade Commission) d'imposer des droits de douane sur ... «puces» japonaises, qui co... un composant essentiel de... teurs et équipements de co... tion.

Les angoisses de l'élève Spielberg

● **«La Cinquième Dimension»**

Imaginez un enfant né en 1947, à Cincinnati, United States. Comme tous les petits Américains, il grandit en se nourrissant de Coca-Cola, de rock et de télévision. Dans les années 50, les deux séries qui clouent les ados devant le petit écran en leur faisant — parfois — oublier de faire du bruit avec leur chewing-gum sont «les Incorruptibles» et «Twilight Zone». Cet enfant-là a un penchant pour le rêve et la BD, sa préférence est donc allée à la série de Rod Serling, plus connue en français sous le titre de «la Quatrième Dimension». Il va sans dire que l'enfant s'appelait Steven Spielberg.

Quel était le principe de cette première «Quatrième Dimension»? Un gros travail de préparation, des scénarios en béton écrits par les plus grands noms de la SF et du thriller (cf. Richard Matheson) et un casting à faire pleurer (de honte) Margot (Capelier). Lee Marvin et Charles Bronson ont débuté avec «Twilight Zone». Comme le principe du réalisateur-producteur et néanmoins adulte Steven Spielberg est de magnifier son adolescence, il commence dans la force de l'âge par rendre un hommage cinéma aux images mythiques de la télé. Ainsi voit le jour, en 1984, «Twilight Zone, the Movie». Satisfait mais pas encore rassasié, le kid de Cincinnati décide alors de produire sa propre série TV: «la Cinquième Dimension». Travail soigné, comédiens triés, scénarios peaufinés... réalisateurs ciné: un coup de chapeau autant que technique à la «Quatrième». La livraison de cette semaine, sur la Cinq, ne dépare pas la collection. C'est Joe Dante, le réalisateur de «The Howling» («Hurlements») et de «Piranhas», qui a réalisé «l'Ombre de la nuit». C'est à John Millius, scénariste d'«Apocalypse now» et réalisateur de «Conan le Barbare», que Spielberg a confié «Chasse ouverte».

Reste que, malgré ces efforts incantatoires pour imiter le passé, le remake n'aura jamais la dimension de l'original. La magie du fantastique à la télévision comme au cinéma est liée au noir et blanc. Avec la couleur on sombre dans l'angoisse. Ce mal du siècle qui nous est venu avec le sucre et le Pepsi-Cola.   *Christine Deymard*

Lundi 9, la Cinq, 22 h 15.

«La Cinquième Dimension»

Blancs, riches et Américains

Une famille blanche américaine possède environ douze fois plus de biens qu'une famille noire et huit fois plus qu'une famille hispanique, selon une étude du bureau du recensement sur la richesse des Américains à partir d'une enquête auprès de 20 900 familles. Cette étude, qui porte non sur les revenus mais sur l'ensemble des biens d'un foyer, est la première de ce genre réalisée par le bureau du recensement et porte sur des chiffres datant de 1984.

Seul Ronnie sourit !

■ Voilà bientôt deux ans que la formidable reprise impulsée par Ronnie s'est évanouie, et les économistes reportent de trimestre en trimestre leurs espoirs de voir la machine repartir : depuis janvier 1986, la production industrielle recule deux mois sur trois. Malgré les sourires de leur Président, les Américains commencent à réaliser que le problème dépasse largement les faillites sectorielles des pétroliers texans et des fermiers. Devant le risque de stagnation, la Bourse jusque-là euphorique s'est effondrée le 7 juillet. Depuis, elle reste hésitante. La Réserve fédérale se trouve donc dans la ligne de mire de la Maison-Blanche, qui souhaite une relance par la baisse progressive des taux d'intérêt. Malgré la baisse du dollar, les exportations n'ont en effet pas repris : tous ses clients (Europe, Japon, pays en voie de développement) sont fauchés. Mais Paul Volcker, qui vient d'accorder un demi-point de taux d'escompte à Ronnie, reste très prudent : le pire risque, continue-t-il de marteler, serait, en stimulant la demande intérieure, de relancer aussi l'inflation...

Trois Français et l'aventure trans-américaine

Ils ont débarqué un matin dans nos bureaux de San Francisco : deux filles et un garçon en quête d'aventures. « Bonjour. Nous sommes trois Français. Nous sommes journalistes et nous réalisons une 'Spécial Trans-Américaine', de New York à la Terre de Feu... »

Agnès Dubois, 26 ans, Ariane Valadie, 25 ans et Mathias Schmitt, 28 ans, ne s'embarrassent pas de préambule. Ils sont plutôt du genre « droit au but ». On les sent encore tout surpris de se retrouver aux Etats-Unis ; à peine remis des images de leur dernière étape. Bien sûr, la « Big Apple » les a fascinés. Certes, ils ont préféré San Francisco à Los Angeles. « Mais ce n'est rien à côté des déserts et des grands espaces de l'ouest américain ». Et déjà ils sont tout excités à l'idée de se rapprocher du Mexique, de traverser l'Amérique Centrale et enfin de parcourir l'Amérique du Sud.

Cela fait déjà deux mois et demi qu'ils sillonnent les Etats-Unis en tous sens. Leur Jeep a déjà avalé plus de 7000 kms. Au passage, ils photographient et envoient aux journaux français qui veulent bien les accepter leurs impressions ou leurs rencon-

SUITE EN PAGE 32

Préparez des arguments pour renforcer ou pour contester chacune des opinions émises par vos amis français.

1. _____
_____
_____
_____

2. _____
_____
_____

3. _____
_____
_____

4. _____
_____
_____

5. _____
_____
_____

6. _____
_____
_____

ENTRE NOUS 2: POUR BIEN DISCUTER

POUR LANCER UNE DISCUSSION

Il arrive souvent qu'un sujet de discussion se développe « comme ça »—c'est-à-dire, naturellement: une personne fait par hasard une remarque qui attire l'attention d'une autre personne, celle-ci y répond, une troisième personne enchaîne et voilà la discussion lancée. Mais il existe aussi des moments où plusieurs personnes réunies cherchent un sujet dont elles pourront discuter. Dans ces cas-là c'est à quelqu'un de proposer un sujet susceptible d'intéresser les autres. On peut introduire un sujet en faisant allusion à ce qu'on a vu ou lu ou entendu:

> — **Est-ce que vous avez lu le nouveau livre de** Simone de Beauvoir? Elle parle de son premier séjour aux Etats-Unis.
> — **Est-ce que tu as vu** les actualités à la télé hier soir? Les Américains viennent de lancer une nouvelle fusée.

Ou bien on peut parler d'un incident:

> — **Il m'est arrivé quelque chose d'extraordinaire.** J'étais allé au Petit Palais pour voir l'exposition Miró. Puis je remontais les Champs-Elysées à pied quand deux jeunes Américains m'ont rattrapé pour me dire qu'ils me suivaient depuis la sortie de l'exposition. Ils m'avaient vu laisser tomber mes gants. C'était extrêmement gentil de leur part. Est-ce que les Américains sont tous comme ça?

Bien sûr, on a toujours la possibilité d'entamer directement le sujet:

> — **Vous savez, ce que je voudrais savoir,** c'est pourquoi les Américains aiment tellement les grosses voitures qui consomment tant d'essence.

L'essentiel, c'est de poser — directement ou indirectement — une question; de cette manière on invite les autres à participer à la discussion.

memomemomomem

QUELQUES EXPRESSIONS POUR INITIER UNE DISCUSSION

Est-ce que tu as (vous avez) lu...?	Have you read...?
Est-ce que tu as (vous avez) vu...?	Have you seen...?
Est-ce que tu as (vous avez) entendu...?	Have you heard...?
Sais-tu (Savez-vous) que...?	Do you know that...?
Il m'est arrivé quelque chose de...	Something...happened to me.
Ce que je voudrais savoir, c'est...	What I'd like to know is...
Ce qui m'intéresse, c'est...	What interests me is...
Ce que je ne comprends pas, c'est...	What I don't understand is...
Ce que tu peux (vous pouvez) m'expliquer, c'est...	What you can explain to me is...

I. C'est à vous... Utilisez à tour de rôle les inspirations suivantes pour introduire un sujet de discussion:

> MODELE: quelque chose que vous avez entendu à la radio
>
> — Est-ce que vous avez écouté la chaîne publique hier soir? Il y avait une émission très intéressante sur les touristes. Il paraît que les Européens qui viennent aux Etats-Unis veulent tous voir New York et San Francisco.

1. quelque chose que vous avez vu à la télévision
2. quelque chose que vous avez lu dans un journal
3. un livre que vous avez lu
4. un incident
5. quelque chose qui a piqué votre curiosité
6. quelque chose qui vous rend perplexe

POUR DONNER SON OPINION

La façon principale de participer à une discussion, c'est de donner sa propre opinion sur le sujet en question. Lorsque deux ou trois personnes ont énoncé une opinion, la discussion tend à continuer par rebondissements — c'est-à-dire qu'on discute du sujet en réagissant à ce que quelqu'un d'autre a dit. On marque son accord ou son désaccord; dans ce dernier cas, il est important de nuancer ses opinions, de laisser ouverte la possibilité de continuer la discussion.

> — **A mon avis,** les Américains sont plus ouverts à l'égard des Européens.
> — **Oui, je suis d'accord avec toi.** Je trouve qu'ils n'hésitent pas, les Américains, à faire la connaissance des étrangers.
> — **Là, je ne suis pas d'accord.** Oui, ils vous invitent, mais ils ne savent pas vous recevoir.
> — **Tu as raison.** Ils ne reçoivent pas comme on le fait chez nous. **Mais c'est qu'ils** ont leur façon à eux de recevoir les gens — avec beaucoup moins de formalités.

Avant de faire l'exercice suivant, revoyez les expressions étudiées au chapitre 9—**Comment donner son avis, Comment réagir aux opinions des autres.**

J. Etes-vous d'accord? Un(e) étudiant(e) énonce son opinion; les deux autres donnent leur avis personnel. Voici des sujets; c'est à vous d'émettre une opinion là-dessus.

> MODELE: faire du footing
>
> — Moi, j'adore faire du footing.
> — Oh, non. Je trouve qu'il n'y a rien de plus ennuyeux que le footing.
> — Je suis d'accord avec Eric. Ce n'est vraiment pas très intéressant de courir pendant une heure sans parler.

1. gagner de l'argent
2. regarder la télévision
3. les films américains
4. boire de l'alcool
5. sortir avec des amis (en groupe)
6. travailler

POUR REPRENDRE LE FIL DE LA DISCUSSION

L'essentiel dans tout cela—si on est d'accord ou non, si on a une opinion forte ou nuancée — c'est d'appuyer ce qu'on dit par des exemples. Autrement on ne parle que dans le vague et la discussion finit par manquer d'intérêt. Pourtant, lorsqu'on donne un exemple, on risque de s'égarer, de perdre le fil de la discussion et d'introduire de nouveaux sujets. Dans certaines situations, ce n'est pas un inconvénient: on veut parler d'une variété de sujets. Mais dans d'autres cas on tient à explorer un sujet particulier. Dans ces cas-ci, si on s'égare, si on change de sujet, c'est à quelqu'un de ramener la discussion au sujet initial:

— **Il m'est arrivé quelque chose d'extraordinaire.** J'étais allé au Petit Palais pour voir l'exposition Miró. Puis je remontais les Champs-Elysées à pied quand deux jeunes Américains m'ont rattrapé pour me dire qu'ils me suivaient depuis la sortie de l'exposition. Ils m'avaient vu laisser tomber mes gants. C'était extrêmement gentil de leur part. Est-ce que les Américains sont tous comme ça?

— Pas tous évidemment. Mais à mon avis il y a beaucoup d'Américains qui feraient exactement la même chose.

— Je suis d'accord. Ils ne sont pas timides, ils...

— Et l'exposition Miró, ça vaut la peine?

— Oh, oui. Elle est formidable. Au rez-de-chaussée il y a une série de tableaux qu'il a brûlés....

— Oui, ils sont vraiment très intéressants. Il faut y aller. Mais **comme le disait** Jean-Jacques, les Américains ne sont pas timides. En effet, ils ne sont pas prisonniers des convenances....

— Là, je ne suis pas d'accord. Moi, je trouve qu'ils...

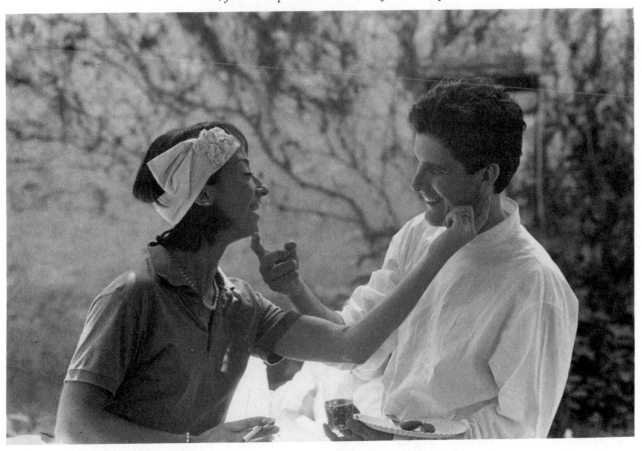

Ont-ils perdu le fil de la discussion?

K. Revenons à nos moutons. Mettez-vous en groupes de trois étudiants. La première personne parle d'un sujet, la deuxième change de sujet et la troisième répond à la deuxième puis essaie de ramener la conversation au premier sujet.

> MODELE: le matérialisme des Américains (gadgets) / un gadget qu'on voudrait inventer

> — Moi, je trouve que les Américains sont trop matérialistes. Leur vie est trop facile; ils achètent une machine pour faire tout leur travail—même la tâche la plus simple. Ils ont une machine pour laver la vaisselle, pour se brosser les dents, pour ouvrir une boîte...
>
> — Moi, je voudrais inventer une machine pour se brosser les cheveux le matin. J'ai les cheveux très longs et je perds beaucoup de temps à me les brosser tous les matins...
>
> — Au contraire, je trouve que c'est un bon moyen de se réveiller. Moi, je bois mon café, je regarde le journal et je me brosse les cheveux.... Mais revenons à ce que disait Jean. A mon avis, utiliser une machine pour faire certaines tâches rébarbatives, ce n'est pas un signe de matérialisme.

1. la différence entre les grandes villes et les petits villages / un incident qui vous est arrivé (en ville ou à la campagne)
2. l'importance des sports aux Etats-Unis / un incident amusant associé aux sports
3. la qualité des films américains / ce qui vous est arrivé une fois au cinéma

L. Ont-ils raison? *(suite).* Discutez brièvement des sujets que vous avez préparés pour l'exercice **I.** Un(e) étudiant(e) va introduire chaque sujet. Faites continuer la discussion jusqu'à ce que tous les participants aient donné leur avis et aient eu l'occasion de réagir aux opinions des autres. Si on perd le fil de la discussion, c'est à celui (celle) qui l'a commencée de faire revenir les autres au sujet initial.

CHEZ VOUS 3

M. Préparez-vous. Vous allez vous préparer à discuter des sujets suivants. Faites une liste d'arguments et d'exemples que vous pourrez utiliser au cours de la discussion. Essayez de considérer les sujets de plus d'un point de vue; c'est-à-dire, envisagez des arguments pour et contre les propositions suivantes:

1. Les Américains sont tous très « relax ».

_____

_____

_____

_____

2. Les Américains sont trop matérialistes.

_____

_____

_____

_____

3. Les lycées américains ne préparent pas les étudiants pour faire des études sérieuses.

_____

_____

_____

_____

A L'EPREUVE

N. Discutons. Une personne de chaque groupe sera désignée pour lancer une discussion sur le premier sujet (de l'exercice **M**). On parlera de ce sujet pendant un quart d'heure environ. Puis on changera de groupe, d'autres étudiants introduiront le deuxième sujet et on en discutera pendant encore un quart d'heure. Puis on changera de groupe pour le troisième sujet.

CHEZ VOUS 4

O. Révision générale. Relisez les articles avec lesquels on a commencé, repensez aux sujets déjà discutés en classe, puis faites une liste d'idées et d'exemples susceptibles d'intéresser les gens qui n'ont pas participé aux discussions précédentes.

ET MAINTENANT

IMPROVISONS!

P. La grande discussion! Le professeur va inviter en classe des gens qui parlent français et qui peuvent apporter un point de vue particulier sur la question de la vie américaine (des étudiants étrangers, des professeurs d'autres départements, etc.). Selon le nombre d'invités, on organisera une ou plusieurs discussions sur le sujet de la semaine — « les Américains et comment on vit aux Etats-Unis ».

Dans ce chapitre vous avez appris à discuter d'un sujet d'intérêt général. Vous savez initier une discussion, y participer en donnant vos opinions et en réagissant aux idées des autres, et vous pouvez intervenir dans la discussion pour la diriger, si c'est nécessaire. Pour terminer cette leçon on va vous demander de refaire un exercice du début (comme ça vous pourrez voir ce que vous avez appris) et de dresser une liste d'expressions utiles pour participer à une discussion (comme ça vous pourrez la consulter à l'avenir).

Q. A mon avis... Vous avez eu l'occasion d'entendre plusieurs idées avancées par des Français au sujet des Américains et de la vie américaine. Choisissez-en une — avec laquelle vous êtes d'accord ou bien que vous voulez mettre en question — et parlez-en avec deux autres étudiants.

vocabulaire Ce que je veux retenir

APPENDICE

Chapitre 1

Conversation 1: Hélène fait des présentations.

Vocabulaire utile

à la prochaine	later

Conversation 2: Jacques presente quelqu'un à son amie Hélène.

Vocabulaire utile

ça tombe très bien	that works out well

Conversation 3: Danielle téléphone à M. Gérard.

Vocabulaire utile

à l'appareil	on the phone
vous me remettez?	do you remember me?
vous portez	you wear
que me vaut	what gives me
disponible	available
société	company
ça vous ennuierait?	is that a problem?
en quinze	in two weeks

Chapitre 2

Conversation 1: Une femme annonce une bonne nouvelle à son amie.

Vocabulaire utile

qui que ce soit	someone
malheureux	too bad
étonne	astonish
vachement	really

Conversation 2: Trois amis font des projets.

Vocabulaire utile

ça vous dirait pas	how do you feel about
que diable!	my God!

Chapitre 3

Conversation 1: Marie vient voir son amie Florence.

Vocabulaire utile

prêteuse	one who lends
nettoyer	to wash
pareilles	same, matching
bise	kiss

Conversation 2: Dominique téléphone à son ami Yves.

Vocabulaire utile

de la part de	from
passerez	will come by
commission	message

Conversation 3: Une femme s'adresse à un passant.

Vocabulaire utile

coup d'oeil	glance
j'y connais rien	I don't know anything about it

Conversation 4: Jean-Michel demande un service à une amie.

Vocabulaire utile

gueule	face
un petit peu de	a little bit of
occasion	opportunity
occase	good buy
jure	swear
c'est n'est pas une folie	it's well thought-out

Conversation 5: Hélène vient voir son ami Jean-Michel.

Vocabulaire utile

garde	watch
dehors	outside
salir	to soil
quoi que ce soit	whatever
coussins	cushions
s'échappera	will escape

Conversation 6: Une amie demande un service à Elizabeth.

Vocabulaire utile

colis	parcel
poster	to mail
m'arrangerait	will help me out
faire assurer	to have insured

Chapitre 4 **Conversation 1:** Un interview pour un poste de professeur.

Vocabulaire utile

licence	degree
maîtrise	masters
pédagogique	educational
niveau	level
tiendrons informé	keep informed

Conversation 2: Un interview pour un poste de professeur.

Vocabulaire utile

spécialité	major interest, speciality
dès que	from the time that
stage	internship
débutants	beginning
rappeler	to call again
d'ici... une semaine	a week from now
davantage	more

Chapitre 5 | **Conversation 1:** On écoute un bulletin d'informations à la radio.

Vocabulaire utile

congères	snow drifts
s'enfoncer	to disappear into
coupés	cut
glissantes	slippery, icy
secours	help
foutu	finished
c'est le comble	that really does it
ça alors	really
fichu	ruined
ça y est	that's it
tout est à l'eau	everything's finished
chouette	neat
déblayer	plow

Chapitre 6 | **Conversation 1:** Hélène se confie à sa copine Danielle.

Vocabulaire utile

perds	lose
dingue	crazy
j'ai du ventre	I'm getting paunchy
affreux	horrible
pâtes	pasta
faiblesse	weakness
pire	worst
supprimer	to get rid of
trucs	things, stuff

Conversation 2: Jean-Michel demande un conseil à son amie Danielle.

Vocabulaire utile

briques	million francs
pi (puis)	then
fric	money
c'est pareil	it's the same
emprunt	loan

Conversation 3: Danielle a un problème au bureau où elle travaille; elle en parle à ses amis Hélène et Jean-Michel.

Vocabulaire utile

fait la tête	give the cold shoulder
tourne les talons	walk away
classique	classic
te buter	get stubborn
marrant	funny
aborder	confront
le genre	the type
gentillesse	niceness
brancher	connect

Chapitre 7

Conversation 1: Trois Français - Danielle, Nicole et Jean-Michel - viennent de passer une semaine à travailler à Boston. Il leur reste encore du temps avant de regagner la France et ils font des projets pour visiter un peu les Etats-Unis. C'est Danielle qui parle d'abord.

Vocabulaire utile

cocotte	sweetie
faisable	do-able
s'envoler	to take off
partants	in agreement

Conversation 2: Les trois amis fixent les détails de leur voyage.

Vocabulaire utile

bof	um, well!
emballée	carried away
démarrer	to leave
au fond de	at the bottom of
j'y tiens	I'm sticking to it
coucher de soleil	sunset
se ballader	to walk around
minable	tacky

Chapitre 8

Conversation 1: Quatre Français - deux hommes, deux femmes -sont en train de raconter des histoires. D'abord, Françoise et Danielle parlent d'un membre de leur famille qui est un peu bizarre, un peu «dingue ».

Vocabulaire utile

jumelle	twin
sent	smell
ont intenté un procès	took it to court
se bagarre	fights
bien sonnée	easily
c'est bien parti pour la cinqantaine	well on the way to fifty
Marquis de la Godasse	Marquis of the Shoe
éculée	worn-down
fringues	clothes
ramasse	gather
aristo	aristocratic
la plume d'oie	goose feather
tiens-toi bien	hang on
sèche	dry
la poudre d'or	gold powder
perruque	wig

Conversation 2: Ensuite, on commence à parler de la Deuxième Guerre mondiale. Ils n'étaient pas encore nés à l'époque, mais les pères de Danielle et de Jean-Michel leur ont raconté des histoires au sujet de la guerre.

Vocabulaire utile

venait de	had just
Autrichiens	Austrians
Mamie	Granny
s'est mis au garde-à-vous	stood at attention
rectifiait	would correct

sauvé	saved
c'est décidé que	it was decided that
obus	shell
y faisait pas de quartier	gave no pity
liquidait	get rid of
blessés	wounded
s'est échappé de	escaped from
pas mal	not bad

Conversation 3: Enfin, ils échangent des souvenirs d'enfance et d'adolescence. Jean-Michel parle d'une fête qu'il aimait particulièrement.

Vocabulaire utile

char	floats
lancé	on its way
blagues	jokes
peau	skin
a lancé	thrown
sauter	to jump
aléas	hazard, uncertainties

Chapitre 9

Conversation 1: Des amis font des projets pour passer un week-end dans une station de ski.

Vocabulaire utile

ski de piste	downhill skiing
ski de fond	cross-country skiing
Vercors	a popular ski area of France
hors de prix	too expensive

Conversation 2: Une discussion sur le choix d'un dessert.

Vocabulaire utile

au régime	on a diet

Conversation 3: Pour ou contre les cigarettes.

Vocabulaire utile

un type	a guy
se coupe l'herbe sous les pieds	to cut the ground out from under
supportent	put up with
abîmer	to damage

Chapitre 10

Conversation 1: Des Français parlent de leurs impressions des Etats-Unis.

Vocabulaire utile

forcément	inevitably
maso	masochistic
énervant	annoying
boulot	job
déconnent	relax
met un peu en question	to reconsider
creuser	dig into
déménagent	move

telles	such
évitent	avoid
s'investit	put oneself into
à vie	forever
méchanceté	meanness
potins	gossip
empêche	prevent
pouvoir	power
pognon	money
rigoler	to laugh
toubibs	doctors
a manqué	missed
gauloises	Gallic, bawdy
cochonneries	stupidities
taquineries	teasings
piquer	to vex

CREDITS AND PERMISSIONS

Photographs

AP/Wide World Photo 164 (bottom); Stuart Cohen 20, 99, 149; Gouvernement du Québec 7, 71 (third from top); Ellis Herwig/Picture Cube 36; Lynn McLaren 113; Peter Menzel 1, 11, 13, 49, 52, 67, 71 (top), 72 (3 photos), 83, 123, 139, 146, 169; Peter Menzel/Stock Boston 33, 157; Judy Poe 114 (2 photos); Peter Turnley, Kay Reese and Associates/BD Picture Service 71 (bottom); UPI/Bettmann Newsphotos 164 (top); Ulrike Welsch 71 (second from top); Gale Zucker/Stock Boston 133.

Permissions

P. 77: Article reprinted from *Journal français d'Amérique*, issue of May 27-June 9, 1983.

P. 78: Article and picture reprinted from *Journal français d'Amérique*, issue of March 18-31, 1983.

P. 87: Illustration and text reprinted with permission from Weight Watchers International, Inc.

P. 92: Letters reprinted from *Point de vue: Images du monde*, issue of May 23, 1986.

P. 109-116: Travel information reprinted from guides by Pneu Michelin and Le Comité Regional du Tourisme et des Loisirs Centre—Val de Loire.

P. 135: Cartoon by Quino reprinted from *A mí no me grite*, 1983 edition, with permission from Quipos. © Quino.

P. 143: Article reprinted from *ROCK & FOLK*, June issue, 1986.

P. 152: Illustration reprinted from *Libération*, issue of July 21, 1986.

P. 152: "Quelques Conseils" reprinted with permission by Laboratoire Conseil Oberlin.

P. 155: Letter reprinted from *Quotidien de Paris* "Dialogue", issue of July 22, 1986.

P. 165: "Union Carbide vend ses toximes" reprinted from *Libération*, issue of July 23, 1986.

P. 165: "Les Etats-Unis font peur aux puces japonaises" reprinted from *Libération*, issue of May 29, 1986, with permission from Agence France-Presse.

P. 165: "Les angoisses de l'élève - Spielberg" reprinted from *Le Nouvel Observateur*, issue of June 6-12, 1986.

P. 165: "Blancs, riches et Americains" reprinted from *Libération*, issue of July 21, 1986.

P. 166: "Seul Ronnie sourit!" reprinted from *L'Evenement du jeudi*, issue of July 24-30, 1986.

P. 166: "Trois Français et l'aventure trans-américaine" reprinted from *Journal français d'Amérique*, issue of August 29-September 11, 1986.